El libro de los símbolos, tatuajes y grafismos

LIBSA

C/ San Rafael, 4
28108 Alcobendas (Madrid)
Teléf.: 91 657 25 80
Fax: 91 657 25 83
e-mail:libsa@libsa.es
www.libsa.es

Colaboración en textos:
Noemí Marcos Alba y equipo editorial Libsa
Edición: equipo editorial Libsa
Diseño de cubierta: equipo de diseño Libsa
Maquetación: equipo de maquetación Libsa
Ilustraciones: archivo Libsa

ISBN: 978-84-662-2272-3

CONTENIDO

El tatuaje es una práctica que cuenta con más de cinco mil años de antigüedad y que ha sido (y es) empleada en el mundo entero. Es un hecho tan arcaico que incluso se ha encontrado un hombre prehistórico perfectamente conservado bajo el hielo que contaba con numerosos tatuajes.

Las distintas culturas de los cinco continentes lo utilizaron con fines diversos. Por ejemplo, en Egipto y en algunos pueblos de América se les atribuía un poder mágico y protector; en la Polinesia, en cambio, los maoríes dibujaban en su cuerpo imágenes temibles con el fin de asustar a sus enemigos en las batallas o para mostrar su rango. Pero independientemente de los objetivos con los que hubieran sido hechos, esta manera de adornar el cuerpo ha servido como elemento de identificación entre personas de un mismo grupo.

Después de tatuar símbolos sobre los cuerpos de guerreros, religiosos, mafiosos, sacerdotisas, la realeza, y un largo etcétera, en Occidente, con la llegada del siglo XX y los profundos cambios sociales que trajo consigo, y junto a la invención de la máquina de tatuaje eléctrica en Estados Unidos, el arte de tatuar se expandió a pasos agigantados y su evolución ha sido imparable. Antes eran relativamente habituales en contextos específicos como el militar y el náutico, ya que soldados y marineros regresaban con ellos de sus estancias en el extranjero. Pero la nueva máquina popularizó esta forma de adorno tan peculiar extendiéndola por otros grupos sociales.

En general, los primeros tatuajes se vieron en circos y ferias; posteriormente, fueron aceptados por una parte de los ciudadanos, la mayoría pertenecientes a diversas tribus urbanas, que comenzaron a tatuarse los dibujos que más

representaban su forma de pensar: los hippies, el símbolo de la paz; los moteros, las Harley Davidson; los heavies, pentagramas; los góticos, murciélagos; los punkies, esqueletos con crestas, etc.

Desde las últimas décadas del siglo XX hasta hoy, las tribus urbanas han hecho del tatuaje un elemento indispensable de su identidad, pero no solo ellos; el uso del tatuaje se ha extendido a todo tipo de personas, sin tener en cuenta su sexo, edad, grupo social y etnia. Hoy en día que alguien lleve un tatuaje no implica que pertenezca a ningún grupo social concreto.

Egipto

La tradición del tatuaje en el antiguo Egipto fue descubierta tras las aperturas de sus monumentos funerarios. Los egiptólogos llegaron a la conclusión de que quienes los utilizaban eran casi siempre personajes con relevancia social, sobre todo del sexo femenino. A juzgar por sus momias, la de Amunet, la esposa del faraón Ramsés II, así como la de una princesa encontrada en una cripta cercana a Luxor, por citar un ejemplo, tenían tatuajes de puntos y rayas.

Aunque no se sabe con certeza el significado de esos tatuajes, algunas fuentes aseguran que sus incisiones tenían por objeto permitir que el alma escapara del cuerpo para conectar a través de ellos a los seres vivos con su espíritu. Otras fuentes se oponen a esta conclusión basándose en que el rito funerario estaba orientado a facilitar el paso definitivo a la siguiente vida y no a un retorno de ella.

Pero esos tatuajes geométricos no son los únicos que se han descubierto; también se han encontrado dibujos completos de deidades como Neith y Bes. Neith era una deidad femenina militar cuyo pictograma

Algunos se tatúan motivos egipcios por estética y otros por su significado. A la izquierda, el ojo de Horus ofrece protección. Arriba, el águila con el sol habla de poder e inmortalidad.

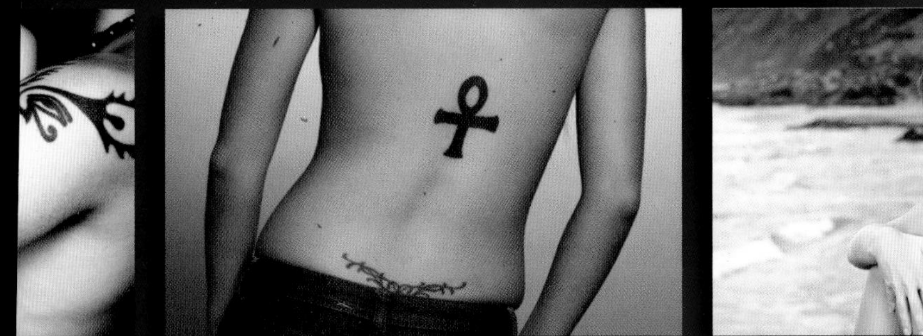

se encontró en cuerpos masculinos, mientras que en Bes, dios de la rebeldía, se descubrieron en sus muslos pinturas que representaban músicos y bailarinas, como también en momias nubias femeninas.

Pese al temprano uso de la técnica del tatuaje en Egipto, hoy no es allí una práctica común, ya que la mayoría de sus habitantes pertenecen a la religión musulmana y el Corán especifica que no se debe tatuar el cuerpo. Esta prohibición confirma que en, algún momento, el uso del tatuaje llegó a ser bastante común.

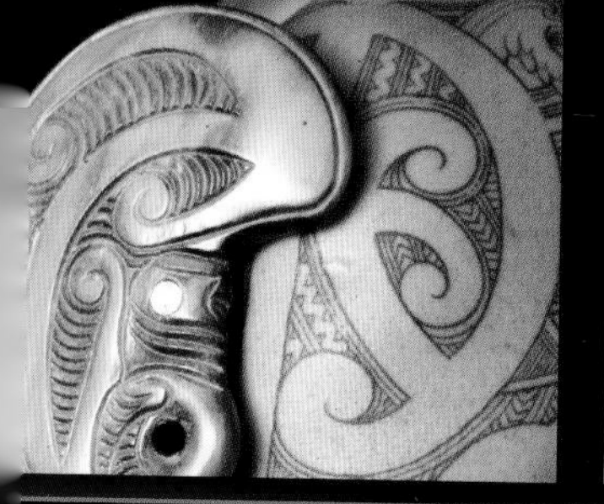

Polinesia

El tatuaje polinesio fue descubierto por los navegantes occidentales en el siglo XVI, aunque hubo que esperar dos siglos hasta que fuera descrito en documentos por la mano de los exploradores Wallis y Cook. Cuando estos atracaron en las diferentes islas que la componen (Tahití, Hawái, Islas Marquesas, Nueva Zelanda, Samoa, etc.), observaron que sus gentes tenían grabados abundantes diseños en su piel. Sin duda se trataba de un tatuaje tribal, ya que hombres, mujeres y jóvenes mostraban diseños diferentes en las distintas islas, según sus costumbres, y con objetivos dispares: para marcar un rito, para señalar el comienzo de la madurez, como ornamento, o para asustar al enemigo.

Los tatuajes faciales de los maoríes causaron gran impresión en los exploradores occidentales. Cada diseño único era como su identificación (firmaban tratados con el mismo diseño que tenía marcaba su cara) e indicaba, según el dibujo y el

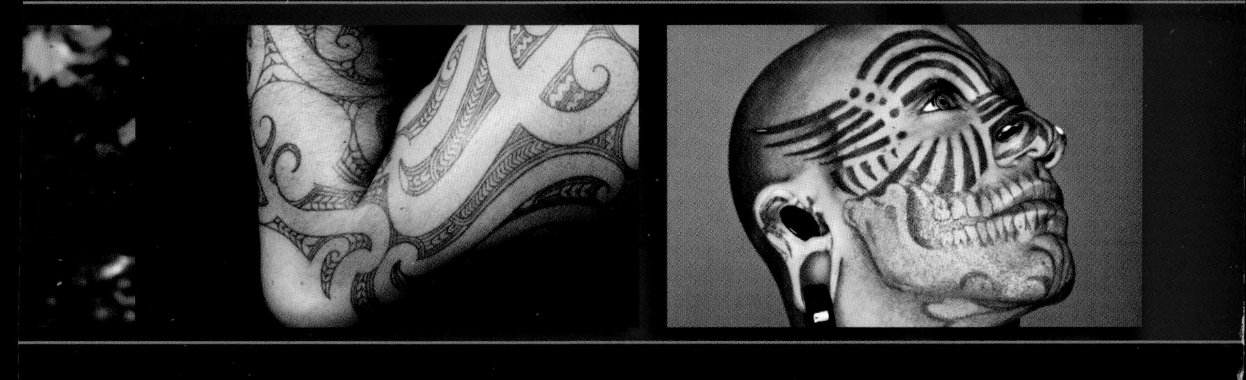

lugar en el que hubiera sido hecho, el linaje, los logros, el lugar de procedencia de su portador, etc.

La técnica utilizada consistía en mojar un peine de hueso en tinta de carbón de nuez diluida y, mediante golpeteos con una barra de madera, se perforaba la piel con el peine entintado, llegando así a sus capas más profundas. Ese golpeteo dio lugar a la palabra tatuaje, derivada de la onomatopeya polinesia *tautau.* Esta técnica tradicional fue posteriormente prohibida por el Ministerio de Salud tahitiano que exigió por ley la esterilización de los utensilios.

Indonesia

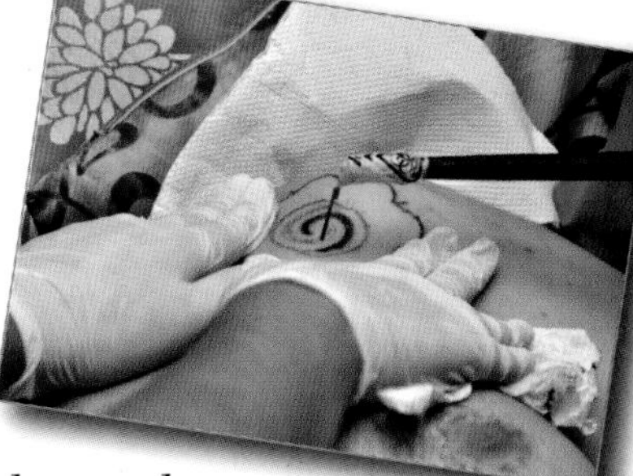

En las islas que componen Filipinas e Indonesia (Bali, Borneo, etc.) también se practicó el tatuaje tribal con instrumentos similares a los empleados en la Polinesia y sus dibujos recibieron la influencia de las colonias hindúes que trasladaron el arte religioso a la piel.

El uso que se hacía del tatuaje estaba relacionado con el alma del individuo y en algunas islas, como Filipinas y Borneo, estaba estrechamente relacionado con la caza y captura de cabezas. Otros grupos étnicos indonesios lo empleaban como ornamentación.

Arriba, un chico polinesio con el tradicional diseño en espiral, que podría tratarse de la forma de atrapar la energía cósmica. Abajo, técnica tradicional de tatuar usada en Borneo, donde los tatuajes son renovados durante toda la vida.

Aztecas

Antes de que los españoles invadiesen la región mesoamericana (México y Guatemala) eran los aztecas, junto a los mayas, los que regían esas tierras. La costumbre de tatuarse estaba fuertemente arraigada en la sociedad azteca, que empleaba técnicas de raspados y carbón para marcar los atributos de los dioses en la piel; pero cuando los conquistadores tomaron el control, castigaron a quienes se tatuaban en secreto por motivos religiosos. Finalmente, la práctica se desvaneció.

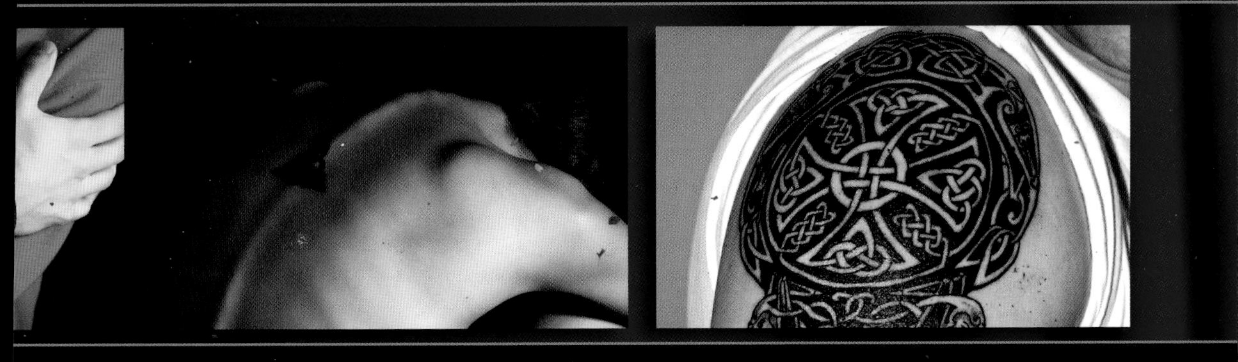

Incas

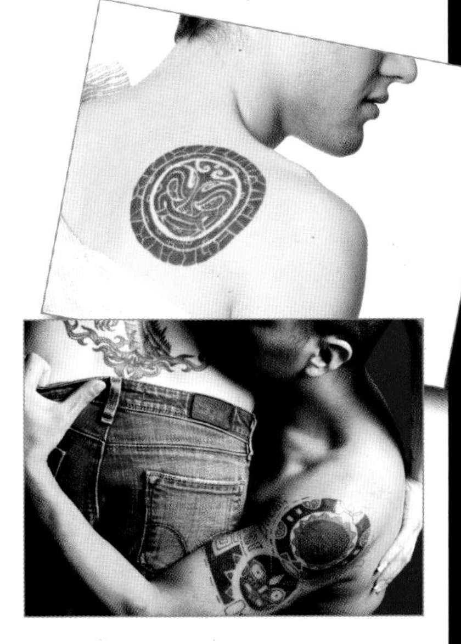

La zona andina de Sudamérica, Ecuador, Perú y Chile estaba regida por los incas. En esta área se han descubierto momias muy antiguas, del periodo preincaico, con dibujos en la piel y enterradas junto a objetos punzantes que parecen ser los instrumentos empleados en el tatuaje. Durante la dominación inca, la realeza nunca se tatuaba porque consideraban que el dios del sol ya les había otorgado un cuerpo perfecto; es el mismo pensamiento desarrollado por las religiones católica y musulmana. Sin embargo, el resto de los pobladores sí lo hacían; al principio por motivos religiosos y de iniciación y, con el paso del tiempo, con fines ornamentales.

Celtas

Para tatuar los nómadas de Europa usaban ramas de añil; con ellas, mediante punzadas, conseguían dibujos azules, otra de las características de su identidad. Su simbolismo describe los caminos de la vida. Por otro lado, y al igual que los maoríes, los guerreros se tatuaban el cuerpo para asustar al enemigo.

El espíritu celta era heroico, independiente y romántico, y su legado enorgullece a las regiones donde dejaron huella, sobre todo a Irlanda. Hoy el tatuaje celta es muy popular y, más aún entre los que se consideran descendientes de este pueblo.

Cuando se trataba de un pueblo guerrero, lo habitual era tatuarse todo el cuerpo porque de esta forma imponían mucho temor en su adversario. Cuando lo que se pretende es lograr protección o buscar un aspecto espiritual, basta con un detalle significativo.

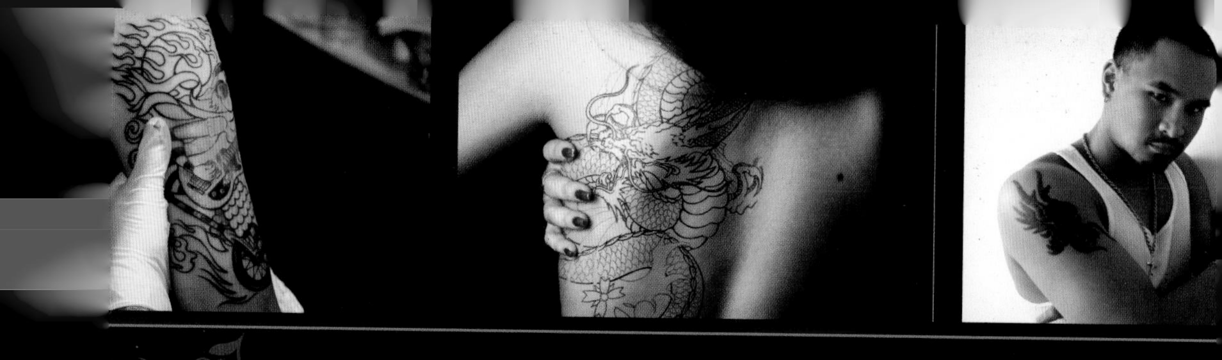

Japón

Entre los primeros habitantes del archipiélago, los ainu, el tatuaje tuvo amplia difusión al igual que, más tarde, entre las geishas y los emperadores. Sin embargo, desde el siglo XVI y hasta el XX, los regentes de la sociedad japonesa mantuvieron leyes que lo prohibían por considerarlo un signo de barbarismo. En este periodo las autoridades tatuaban a todos los que estaban al margen de la ley, como ladrones y otros criminales encarcelados; y, clandestinamente, se tatuaban los que pertenecían a mafias, que eligieron adornar las partes de su cuerpo ocultas bajo su vestimenta.

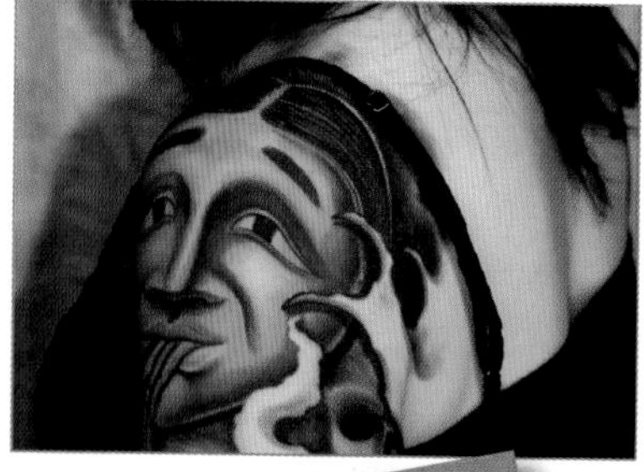

Los integrantes de la Yakuza, la mafia japonesa, contribuyeron a remarcar las connotaciones sociales negativas del tatuaje. Ostentaban en su cuerpo samuráis, flores, dragones, peces *koi* y héroes de leyendas orientales de muchos colores. Debido a la relación entre el tatuaje y el crimen, a principios del siglo XX se quemaron muchos libros que, a modo de catálogo, contenían diseños y modelos.

Gracias a las relaciones internacionales, el tatuaje se legalizó en Japón durante la segunda mitad del siglo XX, después de la Segunda Guerra Mundial y hoy, tanto sus motivos como su técnica están muy bien considerados, no solo en el país nipón, sino también fuera de él.

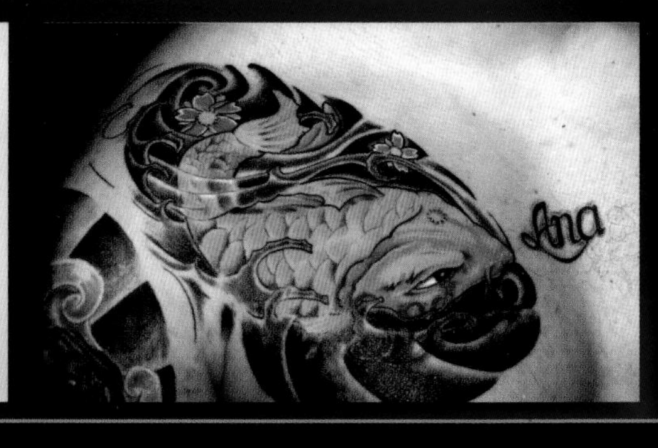

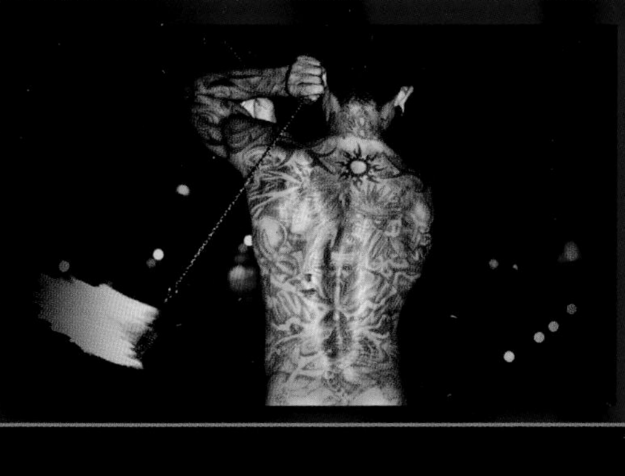

Los motivos japoneses más solicitados en las salas de tatuajes, japonesas o no, son aquellos que se solían tatuar los Yakuza y otros propios de la cultura japonesa como son las nubes, las máscaras teatrales de demonios y fantasmas (*namanaris, hannyas, onis,* etc.), imágenes de geishas, tipografías y dibujos manga.

El tatuaje tradicional japonés, que se realiza con cañas de bambú o de acero, se denomina *irezumi,* mientras que el realizado con máquina eléctrica recibe el nombre de *tattoo*, como se conoce en Occidente. Cuentan que el *irezumi* es especialmente doloroso, lento y costoso en comparación con la máquina moderna, pero muchos prefieren seguir los ritos tradicionales.

El siglo XXI

Después de haber vuelto la vista al pasado y a los orígenes del tatuaje, de haber explorado someramente sus diversas técnicas, dibujos y connotaciones sociales, se puede observar la diferencia entre los contextos sociales en los que se originaron y desarrollaron y los que existen hoy en día. Hoy el tatuaje está socialmente aceptado en casi todo el globo; más aún, se encuentra en pleno auge y está en un momento óptimo.

Se hacen tatuajes en los cinco continentes, independientemente de la raza, el oficio, la edad, el sexo, la ideología o la posición socioeconómica. Personajes famosos y populares, como por ejemplo los futbolistas, exponen sus tatuajes en público sin problemas y en la calle; millones de personas han encontrado un motivo para marcar su piel con uno o varios diseños visibles u ocultos. Desde luego, la asociación del tatuaje con la rebeldía o el castigo ha ido desapareciendo poco a poco y el tatuaje se considera hoy un ornamento corporal más, se tenga o no en cuenta su simbología más profunda.

Han sido los estados democráticos, con su garantía de la libertad de expresión, los que han

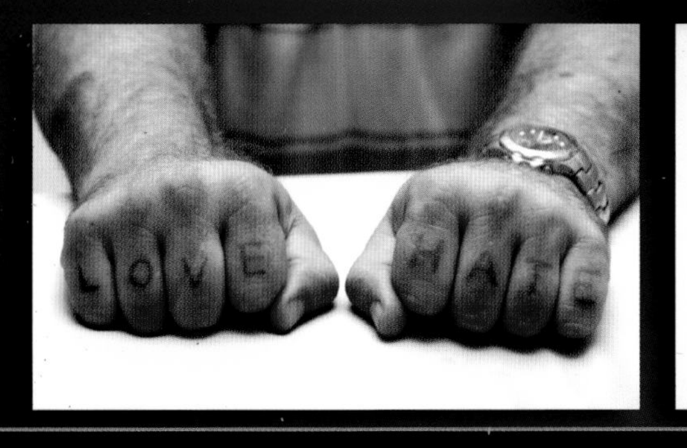

rescatado este arte de la oscuridad y el olvido; no obstante, todavía existe una barrera por superar: la religión. En varios libros sagrados, como la Biblia y el Corán, está explícitamente prohibido marcarse el cuerpo, partiendo de la idea de que, al haber sido regalado por Dios, es perfecto tal y como está. Consecuentemente, los adeptos y fieles a estas religiones y a algunas otras similares continúan rechazando el tatuaje.

A tenor de su evolución, el futuro del tatuaje parece garantizado. Se están mejorando las tintas, las máquinas y las técnicas para aplicarlos, sin olvidarnos de un aspecto esencial: cada vez más diseñadores están creando dibujos y modelos sofisticados que atraen a un público deseoso de decorar sus cuerpos. La gran pega es que existe mucho intrusismo profesional que le da cierta mala fama a esta práctica.

HAY PERSONAS QUE TIENEN una pasión ardiente por alguien o por algo, que son entusiastas de la religión o del deporte; existe gente que lleva la música en el alma o que se identifica con un animal en concreto; que se siente orgulloso de la etnia de sus antepasados; que quiere mostrar al mundo sus gustos cinematográficos; a algunos les ha marcado una experiencia o creen a pies juntillas en algo o alguien; otros quieren recordar la mortalidad y a otros les fascina la inmortalidad; hay quien busca resaltar su atractivo, y algunos aman las plantas y la naturaleza...

Existen dibujos que se pueden grabar en la piel que resultan adecuados para expresar todas las pasiones que agitan el alma del ser humano: el nombre de una persona o lugar, un número, el símbolo de una religión o la bandera de un equipo deportivo, un instrumento o las notas musicales, un animal preferido, líneas tribales, la cara de un artista favorito, un dibujo animado o un personaje histórico, un paisaje representativo, el símbolo de una idea que resulta fascinante, calaveras, símbolos de dioses o marcas de vampiro, tatuajes con formas perfectamente adaptadas a una zona, flores y enredaderas... La oferta es enorme, tanto como los gustos de los tatuados.

Estas son algunas de las razones por las que mucha gente se hace un tatuaje, pero existen miles de razones más que lo justifican plenamente.

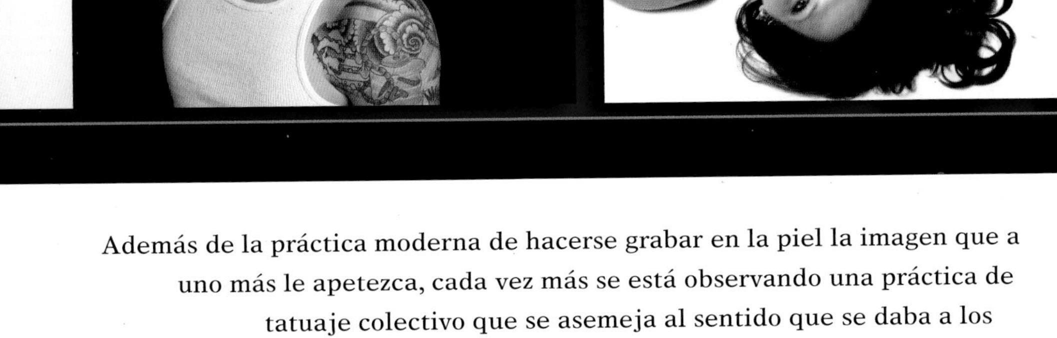

Además de la práctica moderna de hacerse grabar en la piel la imagen que a uno más le apetezca, cada vez más se está observando una práctica de tatuaje colectivo que se asemeja al sentido que se daba a los tatuajes en el pasado. Se trata de diseños que comparten los miembros de una pandilla que difiere del que comparten los miembros de una misma tribu urbana.

Optan por un tatuaje colectivo personas que se conocen entre sí, de manera que todos eligen y se marcan el mismo diseño; por ejemplo, el nombre de la pandilla, el símbolo con el que se identifican, el lugar de procedencia, etc.

Cada dibujo impreso en el cuerpo esconde una historia, un momento, una idea, un sentimiento. Detrás de él están las razones que movieron a su portador a tatuárselo y estas, a su vez, hablan de sus sentimientos y pensamientos más profundos.

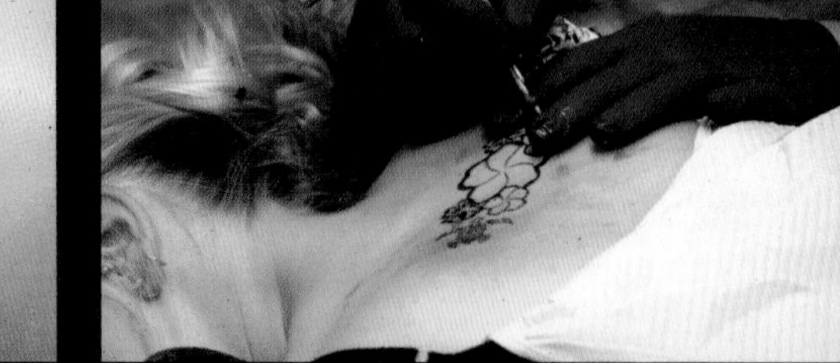

La máquina de tatuar

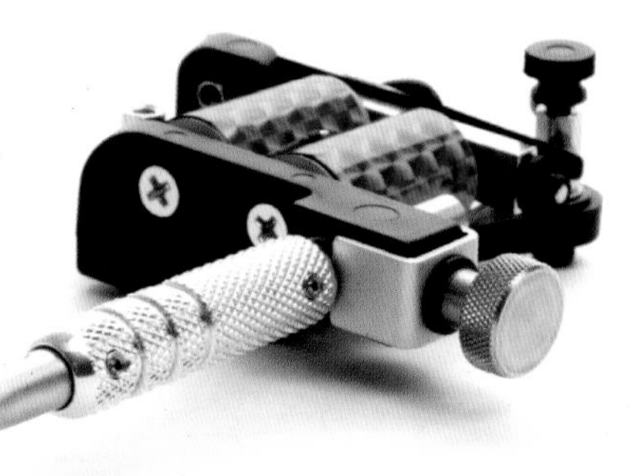

Cuando se visita un estudio de tatuaje, se oye el sonido de una máquina similar a la del dentista; es la máquina de tatuar, un aparato del tamaño de la palma de la mano que funciona con un motor eléctrico y que tiene insertado un depósito de tinta con agujas conectadas a él.

Las agujas que usa el tatuador profesional deben estar esterilizadas antes de su uso y ser desechadas tras su empleo; este es un factor de higiene esencial para evitar el contagio de diversas enfermedades entre sus clientes. En definitiva, no es un aparato complejo, pero se debe saber manejar bien y mantener constantemente limpias todas las piezas que lo componen.

La técnica

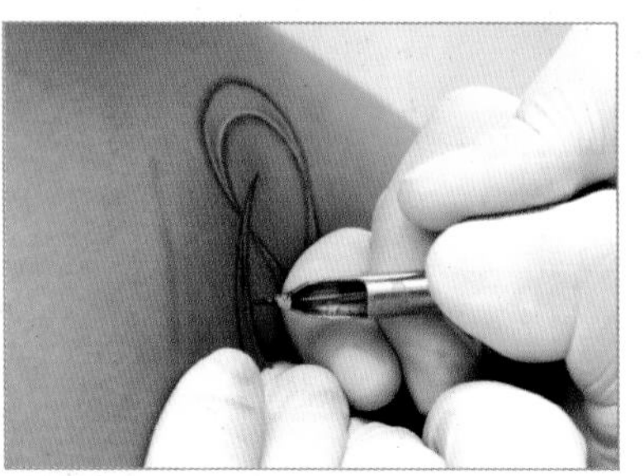

El tatuador primero traza sobre la piel el contorno del dibujo elegido con un bolígrafo especial o papel de calco de tatuar. Este perfil dura unas cuatro horas y aunque esté pasando un algodón con desinfectante mientras realiza el dibujo, no se borra, de manera que no hay que temer que el artista vaya a quedarse sin su guía cuando comience el trabajo de tatuar. Después se rellenan las partes y se hacen sombras, dependiendo del diseño, con otro tipo de aguja.

Cuando se está perforando la piel, las agujas la atraviesan y depositan gotas de tinta en sus capas más profundas. Es totalmente normal que

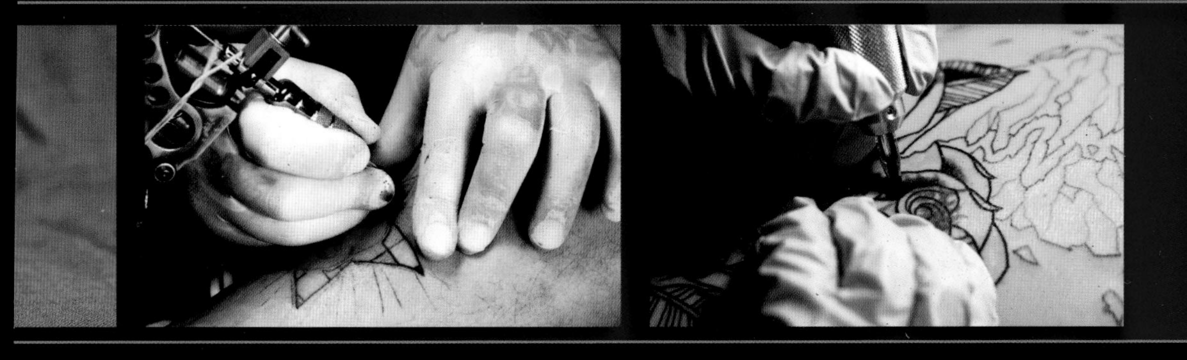

salga un poco de sangre tras el pinchazo, pero no llega a ser nada escandaloso ni por lo que preocuparse; además, el artista estará continuamente limpiando e hidratando la superficie para que se sufra lo menos posible durante el proceso.

Los mejores tatuadores son los que saben dibujar muy bien porque son capaces de improvisar detalles que marcan profesionalidad y estilo a la obra. No obstante, se recomienda verlo antes sobre papel o dibujado en la piel para asegurarse de que se está conforme con la improvisación, pues una vez tatuado no hay marcha atrás.

La elección del dibujo

El impulso que lleva a uno a tatuarse puede por que se haya visto un tatuaje y se quiera algo parecido; que se ame un objeto y se decida dejarlo impreso sobre la piel; que se desee plasmar una experiencia importante de la vida, etc. En cualquier caso, a la hora de elegir el dibujo se tienen varias posibilidades:

- Consultar el libro *flash* del tatuador. Todos los tatuadores tienen unos catálogos de imágenes organizadas según su temática.
- Llevar al tatuador la copia de un dibujo que se haya visto en otra parte.
- Exponer una idea al artista y que él o ella la plasme sobre un papel.
- Dibujar un diseño propio si se sabe dibujar bien.

Los mejores artistas son los que consiguen que su dibujo supere las expectativas del cliente por calidad y belleza.

Los peligros de la tinta

Hay tintas que son nocivas y hay otras que no. Afortunadamente existen reglamentaciones oficiales en este aspecto y organismos que retiran del mercado las que tienen componentes peligrosos (metales) o contaminantes (hongos y bacterias). Cuando se visita el estudio de tatuaje, es aconsejable pedir que muestren el certificado de sus tintas. Normalmente, el tatuador los tiene expuestos, pero si no están a la vista, no hay que dudar en pedirlos; se debe poner siempre la salud por delante de la timidez.

Para aquellos que están pensando en hacerse un tatuaje de tinta fluorescente o ultravioleta, deben enterarse bien de sus componentes y regulación, pues la mayoría, o son tintas cancerígenas, o son nocivas para la piel.

Los colores

Los tatuajes de colores son más resultones, más llamativos y se ven más. Suelen ser las personas más atrevidas las que añaden a su dibujo tonalidades que van más allá del negro, aunque uno ya sea bastante atrevido por el mero hecho de tatuarse. Con los tatuajes de colores hay que tener en cuenta alguna consecuencia: pueden causar problemas a la hora de vestir; por ejemplo, si la persona tatuada quiere ponerse un pantalón corto de color rosa, es bastante difícil que combine bien con un tatuaje en las piernas de color rojo y verde.

Un tatuaje dura toda la vida. Se puede dar el caso de que pierda intensidad y, de hecho, los colores de un tatuaje cambian con el tiempo: los tonos negros tienden a convertirse en azules, los blancos en amarillo o marrón, los rojos se anaranjan, etc. Es la piel la que condiciona estos cambios, pero si uno tiene la suerte de pertenecer a una raza mixta, seguramente el tatuaje no variará demasiado, ya que los expertos reconocen que la piel de las personas mestizas es la que mejor conserva la tinta aplicada en los tatuajes.

De todas formas, si con los años el tatuaje ha perdido tono, siempre existe la posibilidad de acudir a un tatuador para que lo repase y se recupere la intensidad cromática que tenía antes. También puede ocurrir que con el tiempo uno se canse del diseño que lleva. En este caso se puede acudir a un centro de dermoestética y retirarlo con láser, aunque es un proceso largo, doloroso y costoso.

Tatuajes temporales

Si se desea maquillar el cuerpo con dibujos artísticos pero no se quieren llevar durante toda la vida, existe la opción de recurrir a un tatuaje temporal. Estos tatuajes se pueden conseguir con diferentes métodos, aunque tienen algunos inconvenientes que enumeraremos a continuación para su análisis:

- TATUAJES TEMPORALES CON PERFORACIÓN. Se realizan con máquina de aguja, como en el tatuaje permanente, pero la tinta se desvanece con el tiempo. Su inconveniente: a veces la tinta no desaparece del todo y queda una cicatriz.

- TATUAJES SUPERFICIALES DE HENNA. La henna es un tinte vegetal que emplean las mujeres árabes, hindúes y africanas para adornar su cuerpo. Suele durar alrededor de un mes. No obstante, también tiene un inconveniente: la de color negro es muy nociva porque contiene otros elementos de origen no vegetal que no están regulados.

- TATUAJES SOLARES. Consiste en recortar sobre una tela el dibujo o patrón que se desea y exponer el cuerpo bajo el sol para broncear solo aquella parte. El resultado es gracioso, pero también tiene un inconveniente: como sobre la zona a teñir no se aplique ningún protector solar, se corre el riesgo de quemar el área o de generar en ella enfermedades aún más peligrosas.

- «BODY PAINTING». Como esta expresión indica en inglés, se trata de pintura corporal. Se aplica a modo de vestimenta, por lo que algunas personas la lucen desnudas. Y, en muchos casos, se aplican técnicas de trampantojo. Conviene asegurarse de que se van a usar pinturas adecuadas para la piel y evitar zonas irritables, como heridas recientes.

El proceso de curación

Todo tatuaje es una herida abierta; se acaba de perforar una zona de la piel e insertar en las capas profundas y a base de pinchazos la tinta que, en definitiva, es un cuerpo extraño. Por todo ello el proceso de curación va a suponer un tiempo mínimo de dos semanas durante el cual se tendrá que atender con cuidados constantes. La piel no se recompone de un modo idéntico a su tejido anterior sino que, tras el tatuaje, se presenta más sensible; es necesario protegerla más de lo habitual hasta que finalice el periodo de cura.

El tratamiento de la herida

Los cuidados de la herida y su cicatrización son los que van a condicionar el producto final, así que es conveniente prestar mucha atención a esta etapa. Tras el tatuaje, el tatuador explica qué hacer todos los días con la herida. Si se pasa por alto esta etapa del tatuaje, lo más probable es que la herida no cicatrice bien y se desvanezca parte de la tinta; es decir, que después de todo el trabajo, no se plasme la imagen, además de correr el riesgo de sufrir una infección en la zona.

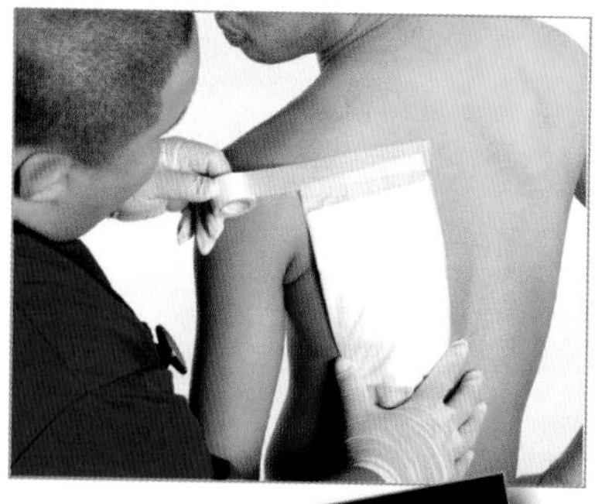

En líneas generales, el cuidado de la cicatriz de un tatuaje comienza cubriendo la zona recién tatuada con una venda esterilizada. Tras llevar la herida cubierta el tiempo recomendado por el especialista, se retira el vendaje y se lava la zona, sin frotar, con un jabón antiséptico suave. Entonces se seca con golpecitos débiles y se aplica una película de crema cicatrizante que no se debe reemplazar por vaselina u otros productos.

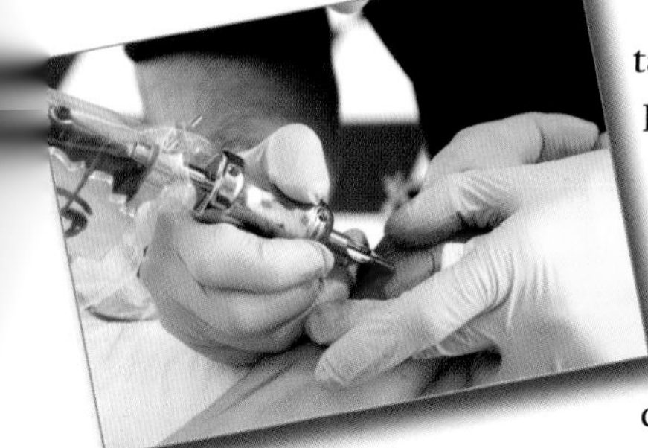

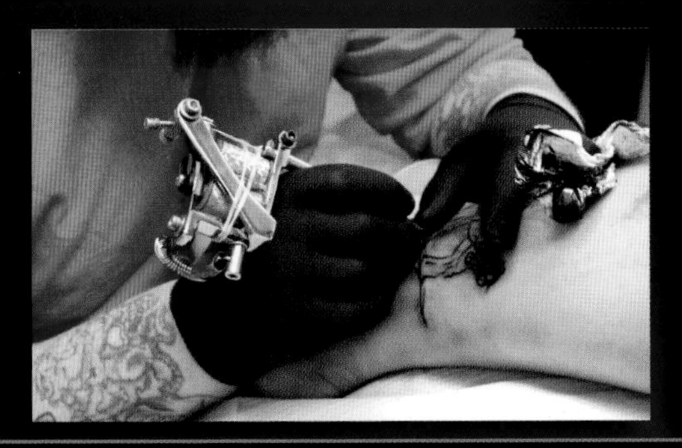

Al principio se protegerá la zona con una envoltura de plástico transparente tanto tiempo como aconseje el tatuador. Durante una semana se repetirá la operación de lavado y crema cicatrizante y, cuando se forme la costra cubriendo la zona, se la dejará caer de manera natural.

Durante la curación de un tatuaje se debe evitar lo siguiente:

- El sol. Una vez curada la herida, siempre que se esté bajo el sol habrá que aplicarse crema protectora para conservar el tono del diseño.
- Saunas y salas de vapor.
- Exceso de agua. Sobre todo agua con cloro de la piscina y agua salada marina.
- Rascar la cicatriz. Incluso cuando se sienta mucho picor.

La piel

La piel está formada por tres capas: la epidermis, que es la que está en contacto directo con el exterior; la dermis, que es una capa intermedia que está bajo la epidermis; y la hipodermis, que es la más profunda y la más cercana al sistema musculoesquelético.

La tinta de la aguja debe llegar hasta la capa media, es decir, hasta la dermis, porque las células de esta capa son más estables que las epidérmicas; entre otras cosas porque no tienen contacto con el medio ambiente. Si el tatuaje se hiciera en la epidermis, el dibujo sufriría cambios no deseados (ten en cuenta que está sujeta a roces, productos químicos y agentes externos de todo tipo).

En la piel también hay células nerviosas, que transmiten a nuestro cerebro las sensaciones de dolor y calor, por eso somos vulnerables a los que nos producen las punzadas y la vibración de las agujas de la máquina de tatuar. No obstante, nuestro cuerpo es inteligente y segrega unas hormonas de placer, las endorfinas, que contrarrestan el dolor que podamos estar sufriendo.

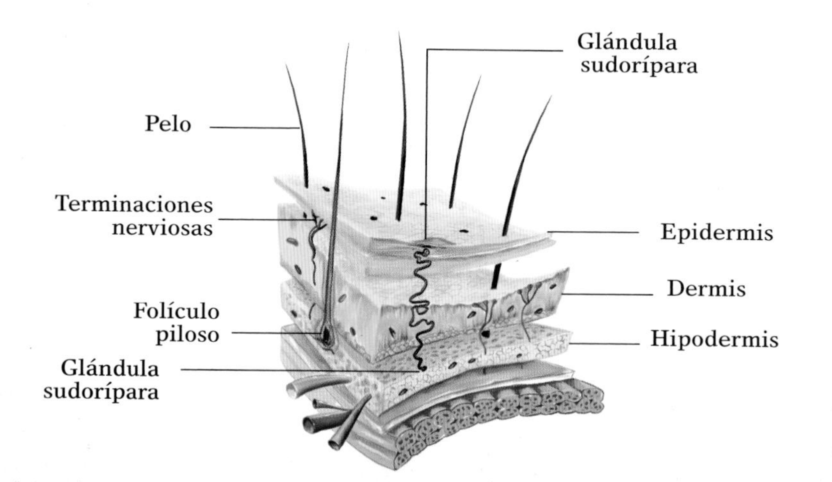

La tinta del tatuaje debe ser aplicada en la dermis o capa intermedia de la piel porque si se quedara en la epidermis, el dibujo podría desaparecer o transformarse con el paso del tiempo y de diversos agentes externos.

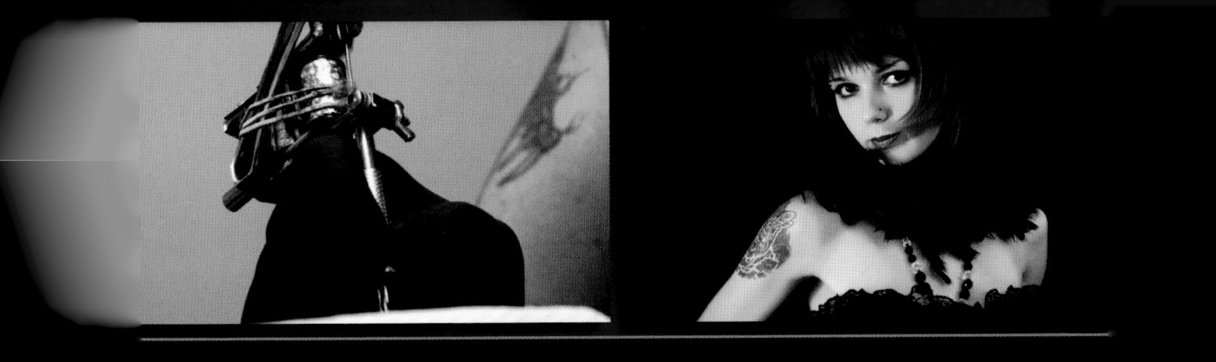

Hay zonas en el cuerpo donde la piel es más fina y los músculos, huesos y tendones están muy cerca de la superficie: la muñeca, el empeine del pie, el tobillo, el talón de Aquiles, las rodillas, el pecho, el centro de la espalda, los dedos y el codo. El tatuador profesional preparará su máquina para que trabaje a una intensidad menor y realizará una presión más leve; pero aún así son zonas delicadas en las que el trabajo provoca más dolor que otras zonas que son bastante más mullidas.

El tatuaje y sus zonas

La elección del lugar del tatuaje está estrechamente relacionada con el concepto estético, la imaginación, el sentido común y las condiciones sociales de cada uno. Por ejemplo, puede que se esté pensando en tatuarse unas estrellas en los lóbulos de las orejas; la idea parece fantástica y ya se está dispuesto a tatuarlas; pero resulta que se trabaja de cara al público y en un ambiente conservador, digamos en el Parlamento. En este caso, no sería una buena idea.

El sentido común es el que avisa del efecto que va a causar en la vida y en la profesión. Si va a ser negativo, lo mejor es replantearse la idea y, si a uno le gustan dichas estrellas, se pueden tatuar en un costado de la cintura o cualquier otra zona menos visible o más fácil de esconder si no se desea mostrar en determinado momento.

No hay que pensar en el aquí y ahora; no se puede hacer por un impulso momentáneo. Lo mejor es mantener una visión global de la persona y del entorno de cada uno; pensar en la situación presente y en el futuro, en lo que va a conllevar ese tatuaje.

Un ejemplo claro es si una mujer piensa que quiere tener hijos en un futuro: es mejor esperar a tenerlos antes de tatuarse el vientre o los pechos, pues son zonas que se ensanchan durante el embarazo y se podría estropear el

diseño; también se aconseja evitar el tatuaje en la zona lumbar porque si se necesita anestesia epidural durante el parto, son muchos los anestesistas que se niegan a aplicarla por temor a que la aguja arrastre partículas de tinta y se produzca una infección.

Como el tatuaje es para siempre, si existen dudas sobre el sitio, es recomendable conversar abiertamente con el tatuador sobre los posibles incovenientes. El artista, sobre todo si cuenta con varios años de experiencia, conocerá todos los pros y contras, y puede dar buenos consejos.

Pensar antes de actuar:

- Que se quiere un tatuaje. Si cabe alguna duda es mejor esperar un tiempo y ver si todavía se sigue en disposición de hacerlo más tarde.
- El diseño elegido. Si es algo que tiene un significado especial, es difícil que provoque desencanto con los años.
- Que el tatuador sea profesional. Un amigo en prácticas de tatuaje puede dejar un dibujo antiestético para toda la vida.
- Que el estudio cuente con certificados de sanidad e higiene. Hay que fijarse en si el tatuador usa agujas nuevas y guantes de látex.
- Que ni el precio ni las opiniones de amigos o familiares influyan. Un tatuaje más barato puede que no cumpla con las expectativas y el diseño a escoger debe ser algo sumamente personal.

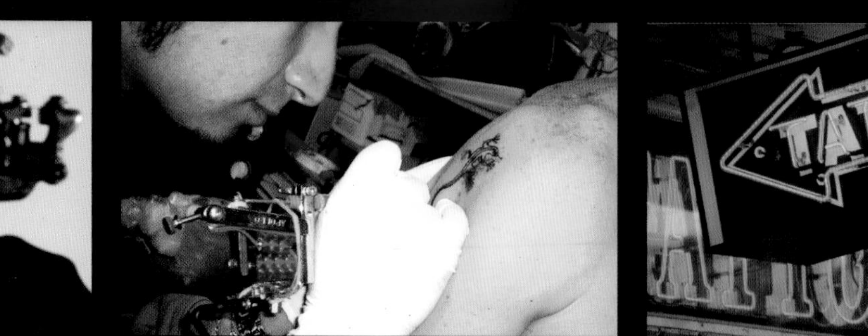

El tatuador

El artista que va a marcar la piel de por vida no se debe elegir al azar; hay que molestarse en indagar sobre sus trabajos anteriores. Todos los tatuadores profesionales tienen un álbum de fotos de los tatuajes que han realizado y si no cuentan con tal muestrario, lo mejor es buscarse a otro.

Una buena manera de localizar un buen tatuador es conocer la experiencia de quienes llevan tatuajes. Si el tatuaje de alguien ha dejado huella, se le preguntará dónde y con quién se lo ha hecho. Muchas veces no se va a encontrar al mejor artista en la misma ciudad y hasta es posible que haya que desplazarse unos kilómetros o incluso hasta otro país. Antes de comenzar la búsqueda es recomendable definir el estilo del dibujo que se quiere (escudos, flores, calaveras, etc.)

y encontrar a partir de ahí al mejor en esa temática.

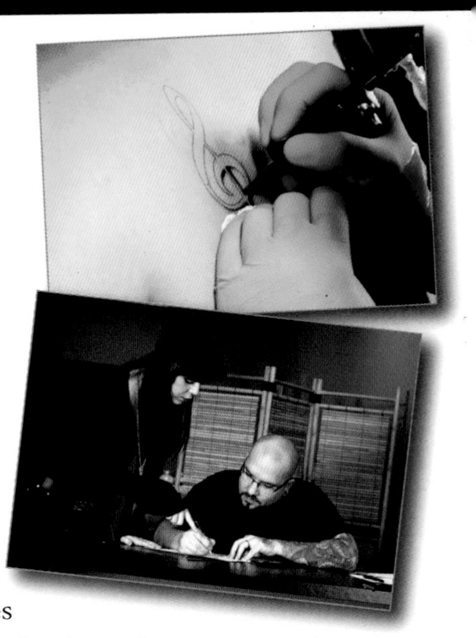

Cuando se haya dado con un buen profesional, se entablará una conversación con él o ella; se comentarán las ideas, se harán preguntas, se contestará sinceramente, se hablará del precio y del número de sesiones. Se debe dar máxima importancia a los sentimientos y sensaciones que surjan; si se ve que el tatuador no solventa las dudas o ejerce presión para que se haga el tatuaje en el acto, queda claro que no es un buen profesional. Cuando no se trata de profesionales expertos, el objetivo no es realizar un trabajo serio, sino cobrar cuanto antes.

El estudio

El lugar donde se va a realizar el tatuaje debe estar muy limpio y muy iluminado; debe contar con un certificado oficial de sanidad e higiene a la vista; tener una camilla en un lugar privado, y el personal debe tratar a los clientes de manera profesional y con amabilidad.

Además de los puntos anteriores, uno se debe cerciorar de que haya una máquina esterilizadora, que las agujas se encuentran en bolsas cerradas y están esterilizadas, que usan tapones de tinta nuevos con cada cliente y que emplean guantes de látex en todas las fases del proceso.

Si un estudio no cuenta con alguno de estos requisitos básicos, significa que no es un lugar seguro para hacerse un tatuaje y que deberemos recurrir a otro.

El dolor

El tatuaje es una experiencia dolorosa. Cuando las agujas penetran en la piel, a unos tres mil pinchazos por minuto, se siente como si se estuviesen haciendo pequeños cortes en la zona. Algunas personas aguantan mejor el dolor que otras; también algunas zonas duelen más y otras menos.

Llevar a un amigo a la sesión de tatuaje tiene muchas ventajas, por ejemplo, combatir el nerviosismo, compartir la experiencia o distraer del dolor. Pero también tiene sus desventajas, ya que entorpece la intimidad entre el tatuador y el cliente, y distrae al profesional.

Sobre todo, es necesario recordar que el tatuaje se va a llevar sobre uno mismo, así que es mejor no dejarse influenciar por otros. Se debe tener presente que el objetivo es tatuarse algo personalmente especial en la zona que se ha elegido.

Consejos para reducir el dolor:

- No beber alcohol u otras sustancias tóxicas porque alteran el flujo de la sangre e incrementan la sensación de dolor.
- Relajar los músculos.
- Ingerir un analgésico (paracetamol, por ejemplo) para que ayude a suprimir el dolor.
- Mantener una actitud positiva. Pensar en el deseo de tener el tatuaje sobre la piel ayudará a combatir el dolor.
- Disponer de compañía en la sala para que distraiga con su conversación durante toda la sesión.

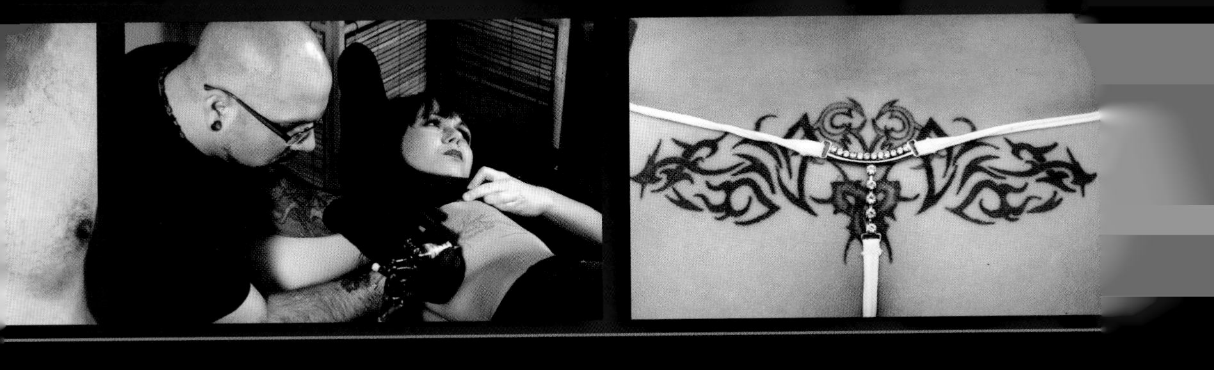

El precio

El tamaño, el color, la exclusividad y las complejidades del dibujo condicionan su precio. No es lo mismo sacar del catálogo una figura a que el tatuador confeccione un diseño exclusivo; tampoco es lo mismo un relleno negro que uno de colores; y, evidentemente, no es lo mismo tatuarse toda la espalda que solo el omóplato.

Una vez se haya elegido el diseño, el artista será capaz de dar un presupuesto, ya sea por horas o por la pieza entera, y de informar de cuántas sesiones van a ser necesarias. Las prisas no tienen cabida en este caso y las cuestiones sobre el coste, tampoco. Lo que se está buscando es una obra de arte impresa en la piel y se le debe dar su margen de tiempo y precio. Por eso la decisión final debe ser meditada y cada persona necesita un tiempo de reflexión para decantarse por un dibujo o un estudio.

Meditar la elección

Antes de concluir que se quiere un tatuaje hay que pensárselo bien. La decisión no debería nacer de un impulso o deseo porque este puede ser algo pasajero y eliminar un tatuaje es costoso. Si en cambio ha nacido de una convicción racional, con una base lógica tan fuerte que, aunque pasen los años, seguirá siendo verdad, entonces se está en disposición de hacerlo.

La decisión sobre si se debe tatuarse algo o no hay que tomarla en un momento de tranquilidad, a solas, cuando uno pueda escuchar su voz interior. Puede ser que un tatuaje pequeño no dé mucho que reflexionar, pero uno grande sí, sobre todo si va a estar a la vista.

Se puede comenzar por analizar la vida que se lleva y las consecuencias que puede acarrear ese tatuaje. Una de las preguntas que ayudan a decidir el paso de tatuarse es si se va a seguir queriendo cuando se sea mayor, o si se va a poder trabajar en el oficio que a uno le interesa; aunque, como se ha mencionado anteriormente, una vez hecho el tatuaje siempre existe la opción de quitarlo mediante láser o cirugía estética, pero el proceso es difícil.

Si después de meditar la situación resulta que no se quiere dar el paso, siempre se puede conseguir una camiseta que lleve ese motivo, pegar la imagen en una carpeta o cartera, ponerlo como fondo de escritorio en el ordenador, hacer un póster e, incluso, realizarse un tatuaje temporal de henna, etc. Hoy

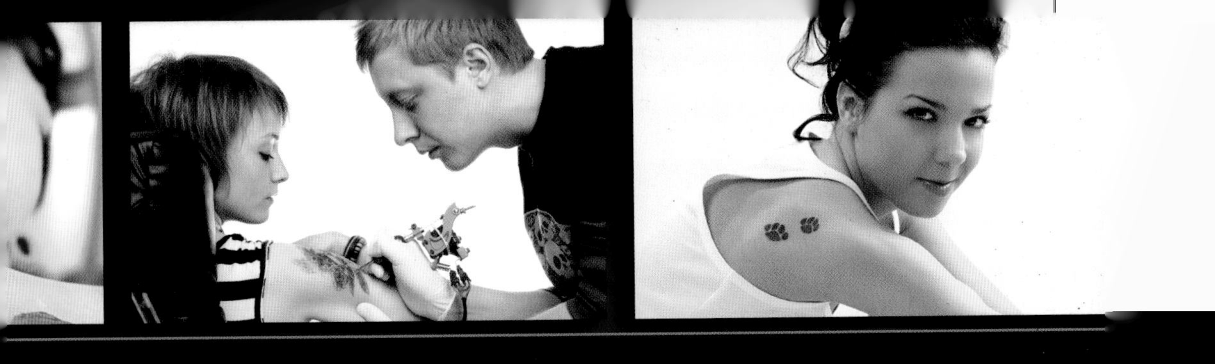

en día se ofrecen muchas alternativas en cuanto a personalizaciones de objetos se refiere, por lo tanto no es necesario llevar a cuestas aquella imagen si no se tiene una convicción absoluta.

Una prueba

Una manera de comprobar que no se va a sentir ninguna incomodidad con el dibujo tatuado es pintándolo en la zona y con el tamaño que tendrá el definitivo. Si es un dibujo muy complicado como para hacerlo en casa, existe la alternativa de visitar al tatuador que hayas elegido y comentarle la idea de probarlo primero. Esta es una opción viable y el profesional no debería tener ningún inconveniente en calcar el dibujo sobre la piel. Tras un tiempo de prueba, la decisión será más fácil de tomar.

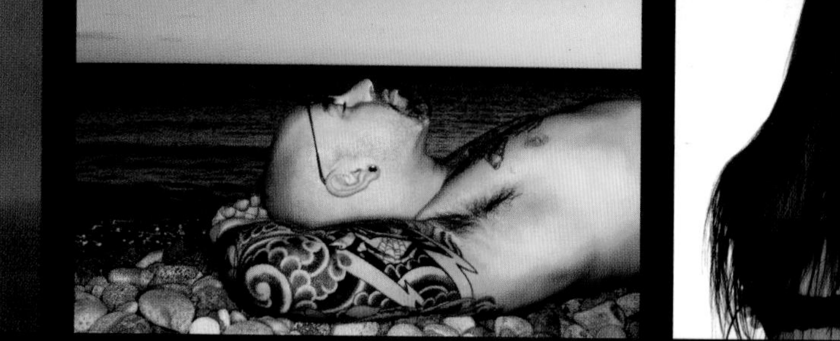

Contraindicaciones

Hay que prestar atención a la salud cuando se piensa en tatuarse. Este tipo de trabajos están contraindicados en:

- Personas hemofílicas.
- Las que siguen tratamientos contra el acné.
- Enfermos de psoriasis, dermatosis infecciosas (herpes, verrugas víricas, etc.).
- Quienes tienen tendencia a formar cicatrices queloides (cicatrices de carne).
- Menores de edad, con excepción de aquellos que vayan acompañados de un adulto responsable.
- Personas diabéticas.
- Quienes tienen problemas de corazón y presión arterial.

Informa al tatuador de cualquier anomalía que pudieras tener y consúltalo previamente con tu médico.

Salud e higiene en la sala

La salud del cliente no corre peligro si se hace el tatuaje en un estudio profesional que cumpla con las condiciones de higiene y sanidad que exige la legislación, tanto para sus aparatos como para sus tintas.

Solamente se pueden contraer enfermedades por vía hematógena, como la hepatitis B, C y D, tuberculosis, sífilis o VIH, si el equipo de tatuar no ha sido desechado o esterilizado; por este motivo es esencial fijarse especialmente en las medidas de higiene y sanidad que se toman en el estudio, por ejemplo que la aguja sea nueva.

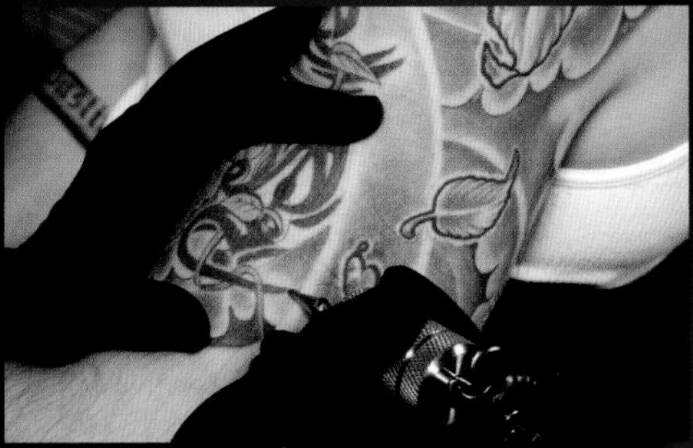

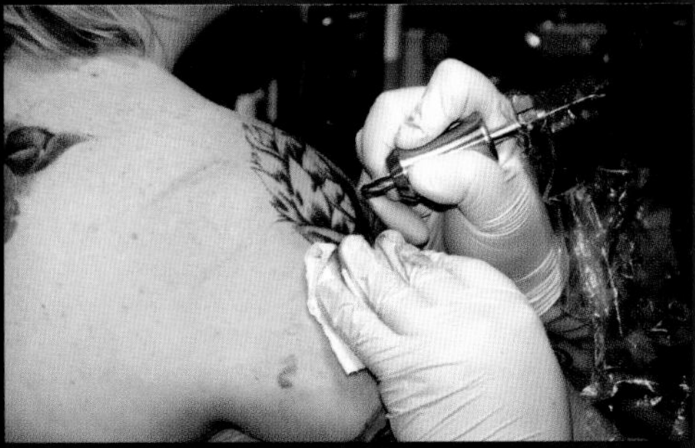

En cuanto a las tintas, además de tener que cumplir con la legislación, existe la posibilidad de que causen una reacción alérgica. Para comprobar un caso particular, el tatuador pone un parche en la espalda con el que se ven los resultados en un par de días.

Algunos ejemplos de los componentes de los pigmentos son:

- ROJO: sulfuro de mercurio.
- VERDE: óxido de cromo.
- AZUL: sales de cobalto.
- BLANCO: sales de titanio, sílice y calcio.

Sabiendo la composición, resulta más viable descubrir si se es alérgico a alguno de sus componentes.

En caso de infección

Las infecciones de los tatuajes se evitan siguiendo las instrucciones del artista en cuanto a la curación de la herida. Si se hace así, no debería infectarse. Los síntomas de un tatuaje infectado son enrojecimiento, picor o costras extrañas (no la costra normal que sale después). Si se descubre alguno de estos síntomas, hay que dirigirse inmediatamente a un dermatólogo para que haga un diagnóstico y recomiende cuál es la mejor cura.

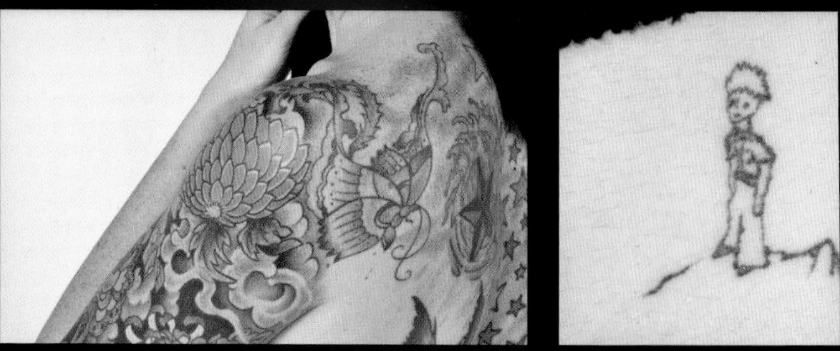

Los lugares más habituales

Aunque todas las zonas del cuerpo humano se pueden tatuar, las más populares son:

- Los brazos. La zona alta es la que más se tatúa, y es la preferida por los hombres para acentuar sus bíceps.
- El omóplato. Se suele argumentar que hay menos posibilidades de cansarse del tatuaje si no se tiene a la vista.
- La base de la espalda. Las mujeres encuentran muy sensual un tatuaje a esta altura, entre los glúteos y la espalda.
- El tobillo. Aunque duele, es uno de los lugares preferidos por las mujeres.

... Y los más insólitos

Si los anteriores son los lugares habituales, todos estaremos de acuerdo en que no es fácil encontrar tatuajes en estos otros:

- El cráneo. Normalmente, el pelo cubre el posible tatuaje que, por lo tanto, no se vería.
- La cara. Uno debe estar completamente seguro de que quiere tenerlo como carta de presentación hacia el mundo.
- Las manos. Son otra carta de presentación.
- El cuello. Por ser un lugar frágil y delicado.
- La lengua. Aunque es un músculo y suene extraño, también se puede tatuar esta parte del cuerpo, por arriba y por debajo.

Diseños más populares

Aunque en el tatuaje participan muchos temas libres según la imaginación de los participantes (de su creador y del cliente) la mayoría de los diseños ya vienen establecidos. En el estudio del tatuador hay libros de muestras divididos por temática: brujas, seres mitológicos, tribales, famosos, letras, objetos de la cultura

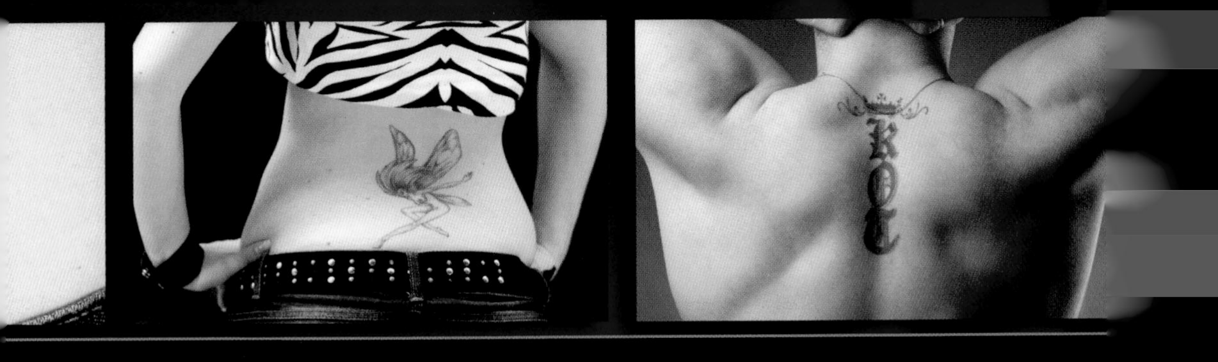

japonesa, vikingos, religión, animales, etc.

Algunos eligen su tatuaje con estos muestrarios, otros transforman algún detalle y los hay que prefieren que el artista les haga su propio diseño. Entre los más jóvenes se suelen observar más personajes fantásticos (unicornios y hadas, sobre todo), animales (mariposas, gatos y arañas son los más habituales) y tatuajes tribales, elegidos del libro de muestras. En edades más maduras, cuando los gustos y aspiraciones se han perfilado más, los tatuajes esconden un significado más personal, con diseños más elaborados y personalizados.

La popularidad del diseño también está sujeta a otros factores, como la tribu urbana a la que se pertenece, la clase social, la cultura o el género.

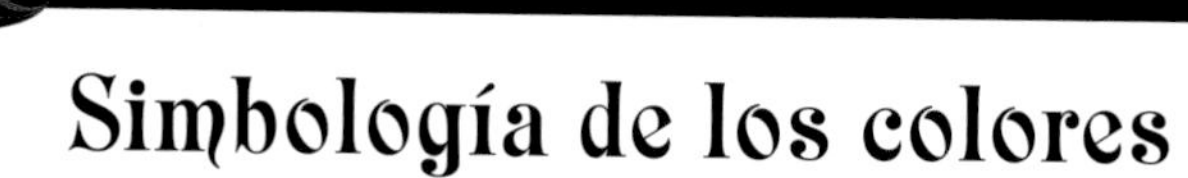

Simbología de los colores

Si se decide ponerle colores al tatuaje interesará conocer el significado que tiene cada uno de ellos porque, jugando un poco con las asociaciones universales que posee cada color, se podrá dar al grabado un significado bastante más profundo.

Colores universales

- ROJO: es el color de la sangre y está asociado con la fuerza en ambos sentidos: el positivo y el negativo. Las civilizaciones más antiguas lo asociaban con la guerra y los tórridos desiertos, y escribían las palabras amenazadoras en color rojo. También es un color que se relacionaba con los personajes que ejecutaban acciones violentas, como soldados, grandes mandatarios y justicieros. El sentido más positivo que se puede aplicar al color rojo es el del amor y la vida, que se observa desde los corazones rojos de pasión, símbolo del sentimiento amoroso y también del corazón sagrado de Jesucristo.

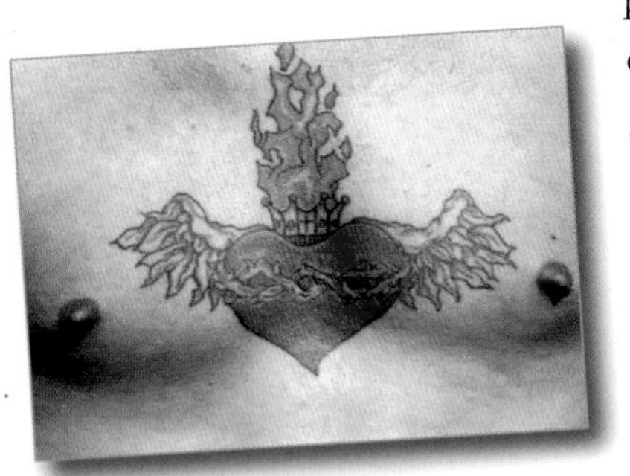

- VERDE: color presente en el mundo vegetal gracias a la clorofila de las plantas. Es símbolo de vida, eternidad y esperanza. En oposición a estas características positivas, durante la época medieval cristiana se le atribuyeron asociaciones con el color de las alimañas satánicas y con los mismos ojos de Satanás.
- AZUL: color poco presente en la naturaleza terrenal, pero que es abundante en el cielo. Por ello, el azul es un color que simboliza lo celestial, de ahí su relación con lo divino y, a veces, con lo demoníaco. En la antigüedad el azul era considerado un color difícil de

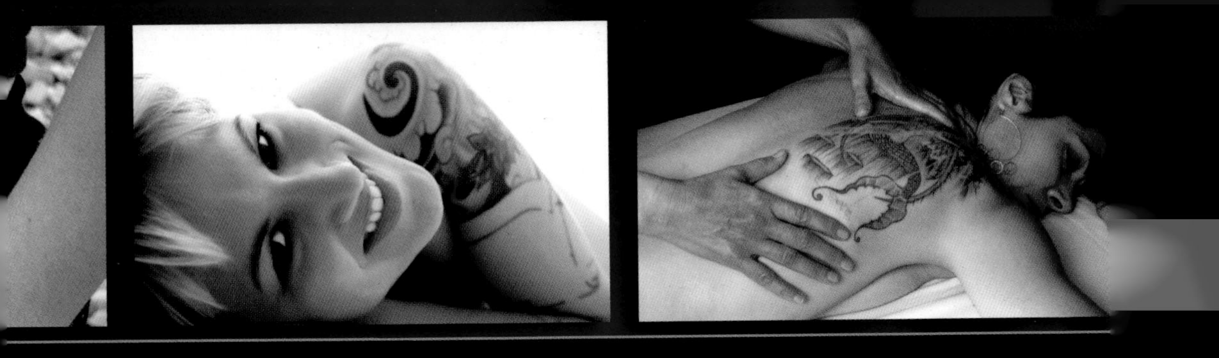

conseguir por su complejidad y rareza; de ahí surgió la idea de atribuirlo a la realeza (de sangre azul, según cuenta el folclore) y a los seres fantásticos.

Colores complementarios

- Amarillo: es el color del sol y de la luz, asociado con los resplandores divinos, con el verano, con el aspecto positivo y la vitalidad más entusiasta. También tiene una cara negativa: por su intensidad, en psicología es asociado con los celos y la envidia, y hace tres mil años, en Egipto, era el color distintivo de los enemigos sociales.
- Violeta: representa a la autoridad real y eclesiástica. Su simbolismo proviene de la Roma clásica, donde la adquisición de los tintes púrpuras era casi imposible.

Color básico

- Negro: el no-color o negación del color está asociado con el lado opuesto de la luz, con las sombras, el terror y la muerte. No obstante, su representación de la muerte también induce a la idea de renacimiento, e incluso significa fertilidad en el símbolo del yin-yang.

Simbología de las zonas corporales

El mapa corporal también esconde sus propios significados, y por eso las zonas que se tatúan expresan unas ideas específicas que es bueno conocer antes de tomar una decisión. Estos son algunos significados por zonas tatuadas:

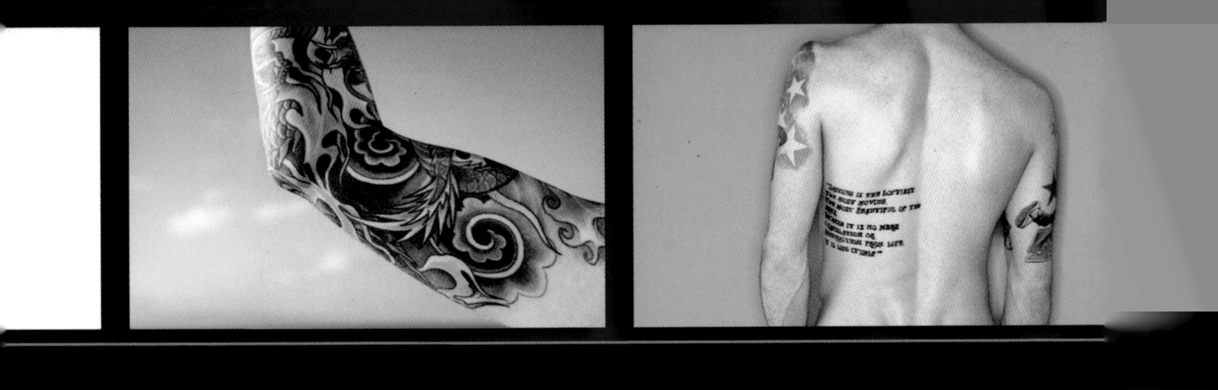

La parte trasera

- NUCA: está cerca de nuestro sentido de la vista, pero en la parte posterior, por lo que un tatuaje en esta zona significa que ese objeto está en el subconsciente.
- ESPALDA: es una zona que siempre se ha considerado el punto débil del hombre, pues estamos indefensos ante lo que sucede a nuestras espaldas. Un grabado en esta zona puede expresar protección e indicar que tenemos las espaldas cubiertas.
- CODOS: el ángulo que se crea entre nuestros brazos y antebrazos es símbolo de potencial creador ya que, gracias al movimiento de esta junta, podemos trabajar cómodamente con nuestra herramienta corporal. Su vértice, el codo, también es símbolo de estudiosos que, para centrarse en su trabajo, apoyan los codos sobre su mesa. Otra acepción simbólica de los codos es la idea de que con ellos nos abrimos paso en la vida. Un tatuaje en esta zona señala la capacidad de trabajo de la persona y su poder de avance.
- GLÚTEOS: la zona trasera que normalmente está escondida bajo la ropa es un lugar íntimo y de deseo. Tatuarse cualquier diseño en esta zona otorga privacidad al objeto elegido.
- GEMELOS: se les atribuye la fuerza para dar el salto y la idea de espontaneidad. Un tatuaje en las pantorrillas está estrechamente relacionado con esas cualidades.

La parte delantera

- CUELLO: símbolo de asimilación y madurez que otorga al tatuaje una imagen dura. Antiguamente estaba relacionado con la virilidad.
- PECHO: símbolo de maternidad en la mujer y de virilidad en el hombre, es una zona erógena potente.
- BRAZOS: la parte alta, cerca de la articulación del hombro, es símbolo de movilidad energética, por eso un tatuaje en este lugar se carga de vitalidad psíquica; y la parte baja, sobre el músculo bíceps, es símbolo de fortaleza.

- Antebrazos: están caracterizados por símbolos de amarre o sujeción que aporta mucha capacidad de acción. La parte interna es una zona que tiene extensiones de venas importantes, por lo que tatuar esta zona contiene expresiones de vida y muerte.
- Vientre: zona relacionada con lo asimilado después de haberse ingerido. Un tatuaje en el abdomen expresa las experiencias tras haber sido asimiladas.
- Genitales: estrechamente asociados con la base de la vida. Un tatuaje en este lugar oculto bajo las ropas íntimas está cargado de erotismo e intimidad.
- Cadera: símbolo de movilidad, viajes y avances. Un tatuaje en la cadera es sensual porque está cerca de las zonas íntimas.
- Muslos: símbolos de movimiento e independencia que otorgan al tatuaje estas

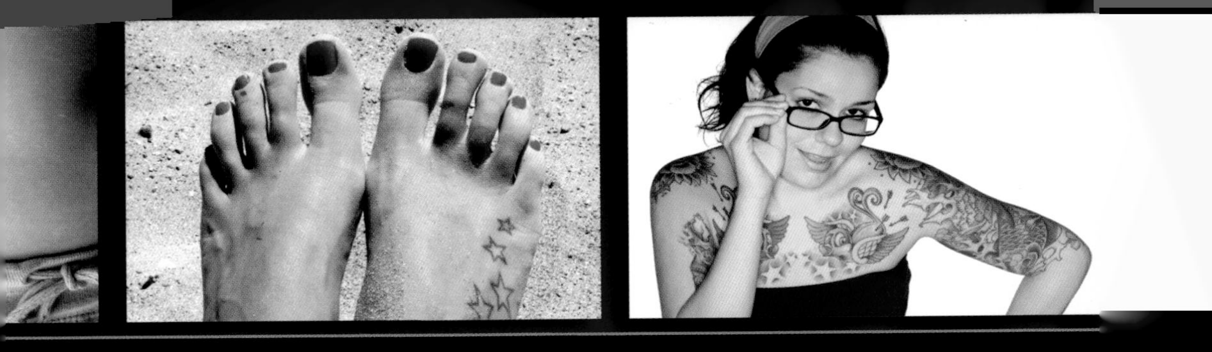

mismas características. También es una zona sensual, sobre todo en su parte más alta.

- PIES: se les atribuyen las ideas de victoria (el pie sobre el enemigo derrotado), comprensión (tener los pies en la tierra), humildad (estar a los pies de alguien o lavarle los pies) y firmeza (nos ponen sobre la tierra). Es curioso que, aunque están en un lugar alejado de nuestra cabeza, los pies cobran mucho sentido en la conciencia humana; es como si la cabeza fuera el alfa, y los pies, el omega, es decir, el principio y el fin del cuerpo humano.

Simbología de los dibujos

Resulta fascinante que las imágenes de los objetos de todas las culturas comprendan muchas asociaciones de ideas iguales en todo el mundo. La historia de las civilizaciones ha dejado un legado precioso: todo un ejército de símbolos que acompañan fielmente a las cosas que se ven, se tocan, se sienten, se huelen y se oyen.

En lo que respecta a los tatuajes, estas asociaciones universales resaltan sobre la piel ante los ojos de quienes los ven, pero sobre todo ante quien los lleva. Una pregunta recurrente que la gente suele hacer a quien porta el tatuaje es ¿qué significa tu tatuaje? o ¿por qué te has tatuado ese dibujo? Esto sucede porque socialmente se comprende que los tatuajes son algo personal, que están intrínsecamente unidos a la simbología del objeto y a las asociaciones que hace el individuo según su experiencia. Cuando no hay un significado concreto, solo tiene una función decorativa.

SÍMBOLOS UNO A UNO

Universo

La definición más generalizada de universo (*universus* en latín) es «el conjunto de todas las cosas creadas». La atracción del hombre hacia todo lo creado ha provocado que históricamente intente dominarlo y adorarlo. Una de las formas de reverenciar todo lo que le rodea es decorarse el cuerpo con la representación de elementos astrológicos, criaturas míticas y legendarias, y todos los seres vivos que ofrece la naturaleza: flores, plantas, animales salvajes, etc.

En una época dominada por la tecnología, surge la necesidad de volver a mirar hacia aquellas cosas y seres que son el origen de toda la vida. Tatuarse el cuerpo con elementos de la naturaleza y el universo es una manera de reivindicar el poder que siempre han tenido sobre nuestra existencia.

Astrología

Durante milenios los astros han sido objeto de estudio de científicos, místicos y filósofos; han despertado una gran fascinación en la humanidad no sólo por sus cualidades estéticas, sino también por sus características funcionales: la vitalidad que proporciona el Sol a nuestro planeta, los efectos de la Luna y su continua metamorfosis, el brillo de las estrellas y sus constelaciones que señalan situaciones geográficas, etc. Los astros componen todo un mundo celestial dinámico y bello.

Elegir un objeto celeste como tatuaje indica un sentimiento de pertenencia y reconocimiento de todo el universo; y es tal la cantidad de gente que experimenta una fuerte atracción hacia ellos que en ningún estudio de tatuaje falta un libro *flash* que muestre diferentes diseños de estrellas, soles y lunas.

Cualquiera de estos símbolos mencionadas nos enraízan con nuestro pasado ancestral, con el origen de todo, con su poder sobre la Tierra y la naturaleza que habita en ella. Además de su carga simbólica, no hay que olvidar su belleza. Desde épocas remotas la imagen de las estrellas ha fascinado al hombre, que no ha dudado en representarlas hasta en su propio cuerpo. Lo mismo ha sucedido con la Luna y el Sol, cuyas diferentes luces producen efectos diversos en quien los observa.

El Sol

El Sol ha tenido una gran importancia en todas las culturas, ya que fue considerado un dios primigenio por la mayoría de los hombres. También conocido como el «astro rey», es símbolo de vida, energía positiva, calor y luz (esta cualidad, a su vez, es un símbolo de inteligencia y claridad mental), y poder. Pese a la simplicidad de su forma real, está presente en diseños muy variados, desde los dibujos más explícitos a los más sugerentes. Estos últimos son los tatuajes de líneas tribales, en los cuales está marcada alguna forma geométrica dentro de la esfera solar y en los que los rayos están modificados artísticamente. Es habitual encontrarlos en compañía de algún paisaje, ya sea de la naturaleza terrestre o celestial, o representando una idea junto a otros objetos.

En los libros de tatuajes suele haber el dibujo de un Sol y una Luna combinados. Esta relación simbólica señala los opuestos noche/día, calma/vitalidad, tristeza/alegría, etc. Este es un diseño que se elige por su significado más que por su estética.

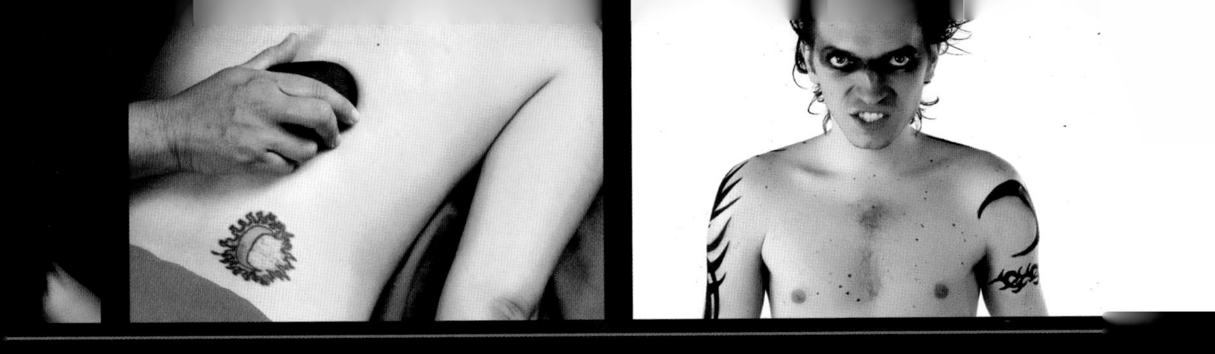

La Luna

Siempre ha sido objeto de inspiración literaria, de exploración astronómica, de recetas mágicas, símbolo de lo femenino, del misterio, de la muerte y el renacimiento, de la melancolía... Fue acogida por la religión islámica, que la relaciona directamente con el profeta Mahoma. Es quien despierta cada noche a los seres nocturnos y las criaturas fantásticas de muchas mitologías y su simbología es sumamente extensa. Por eso, la Luna resulta ser un dibujo indispensable en los libros *flash* de todo tatuador.

Entre los diseños más aclamados se encuentran los del ciclo de las fases de la Luna (creciente, menguante y llena), su imagen antropomorfizada, con ojos nariz y boca y el diseño realista de este satélite, con cráteres incluidos. Cualquier representación de la Luna es válida si se quiere dar un significado determinado al satélite de la Tierra.

Las formas geométricas también son válidas para representar al astro rey y a la Luna. Hay diseños en los que aparecen juntos en clara referencia al contraste que ofrecen sus simbologías.

Las estrellas

Las pequeñas luces que iluminan el firmamento de noche, las estrellas, se han convertido con los siglos en un extenso catálogo de símbolos de las diferentes culturas. Antes de que Galileo inventase su potente telescopio que le permitiera observar su forma esférica, incluso de muchas que eran invisibles desde la Tierra, la imaginación del hombre ya había construido diversas formas para estos cuerpos celestes. Hoy sabemos que son cuerpos esferoidales, pero seguimos dibujándolas tal y como lo hicieron nuestros antepasados, con ángulos, vértices y aristas.

La naturaleza de las estrellas ha sido desde antaño objeto de numerosos cuentos fantásticos. La mitología griega, por ejemplo, propone que son los héroes, los dioses y sus hijos los que adornan el cielo, como es el caso de la diosa virgen Astrea, representada en la constelación de Virgo. Otras tradiciones asocian las estrellas con el alma de los muertos. Para los indios americanos, Antius Tirawa es el espíritu creador de los astros; la primera mujer nació de la unión de dos estrellas y el primer hombre, de la unión del Sol con la Luna.

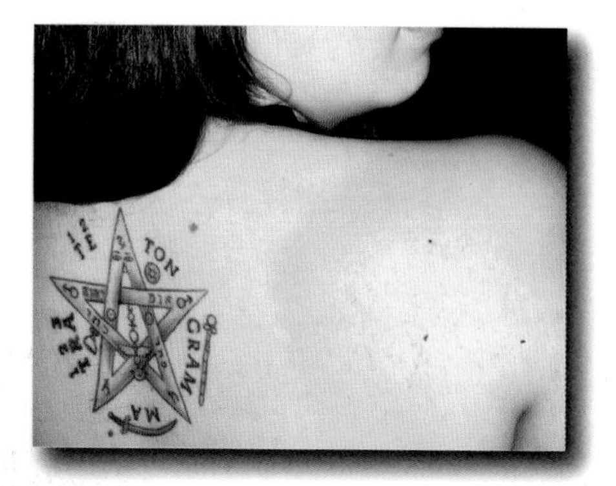

Una manera de conocer el significado de cada tipo de estrella consiste en contar sus puntas.

- ESTRELLA DE CUATRO PUNTAS: puede representar los puntos cardinales o a la estrella Polar, astro que visto desde la tierra es inmóvil y que señala del Polo Norte celeste.

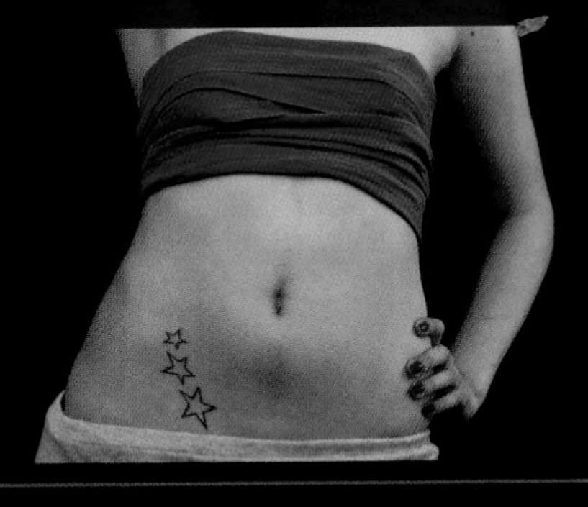

- Estrella de cinco puntas: se representa de maneras diferentes y cada una de ellas conlleva un significado distinto:

  - **La estrella náutica:** simula estar en relieve gracias a que tiene la mitad de cada punta de un color claro y la otra mitad de un color oscuro. Es un símbolo que originalmente utilizaban los marineros para representar el Polo Norte en sus mapas y que se extendió a la idea de orientación en la vida y conocimiento del camino de regreso a casa.

  - **La estrella simple:** se suele encontrar coloreada o con solo su perfil trazado. Es la que habitualmente se ve en las banderas de muchos lugares (Texas, Estados Unidos, China, Europa y muchos más). Los significados que más frecuentemente se le atribuyen son los de suerte, representación de familiares o mascotas, éxito y deseos, además de significar patriotismo por su relación con las banderas.

  - **El pentagrama o pentáculo:** esta estrella se traza uniendo cinco puntos, de izquierda a derecha, abajo y arriba, sin levantar el lápiz. En el sentido derecho, con una punta arriba y dos abajo, tiene significados esotéricos positivos; representa al hombre con los brazos y las piernas abiertas y los cinco elementos a su alrededor y a su servicio. En el sentido invertido (con un solo vértice hacia abajo) tiene significados negativos, pues simboliza la caída del hombre. También se la relaciona con lo tenebroso, con el diabólico macho cabrío que ahuyenta las tinieblas y con Satán, que las atrae.

• Estrella de seis puntas o hexagrama: está compuesta por dos triángulos equiláteros, uno con la punta hacia arriba y el otro hacia abajo. Es un símbolo que abrazan diferentes religiones, como la pagana, que la denomina estrella de Renfán; la judía, que la denomina estrella de David; la religión budista, donde es el mandala de Vajrayogini; la islámica, con el Sello de Salomón, y una religión africana cristiana que también lo adopta. También las ciencias ocultas se han servido de esta estrella para conjurar a los espíritus, y la describen como la combinación de los cuatro elementos: aire, tierra, fuego y agua.

• Estrella de siete puntas o septagrama: la estrella de siete puntas encuentra su significado en la suerte, por ser un número que se considera agraciado. También es símbolo de ocultismo, sobre todo cuando se presenta con un diseño similar al del pentagrama. Así fue acogido por la sociedad Wiccana Estrella Azul.

También en algunas construcciones cristianas se puede observar el septagrama y los expertos piensan que simboliza el hombre completo.

• Estrella de ocho puntas o la cruz doble: resultado de una cruz griega y una de aspas juntas, formando así ocho salientes de un círculo. Existen diversas variantes, cada una de ellas con un significado específico.

• **Cruz de los Caballeros de la Orden o cruz de Malta:** una estrella de ocho puntas como la anterior, pero en este caso sus aspas se abren a partir de la mitad.

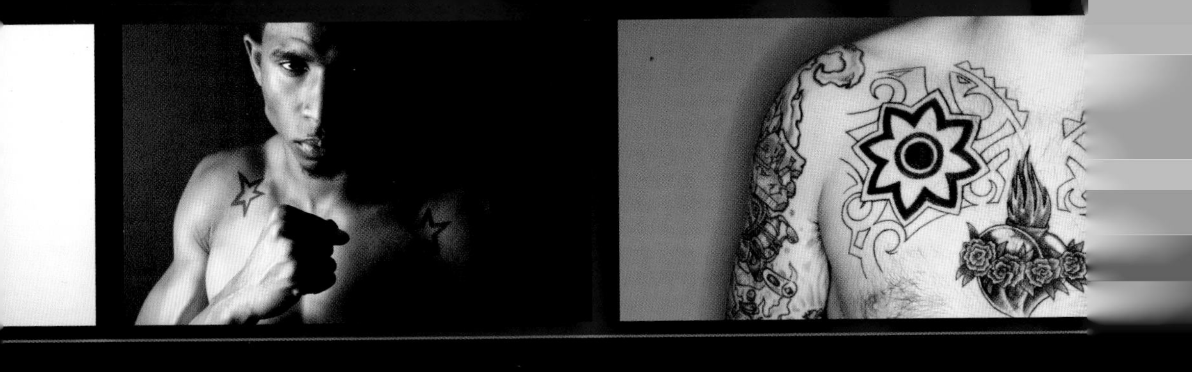

- **Octograma**: se forma superponiendo dos cuadrados; está vinculada a la regeneración de la vida. El octograma es común sobre todo en el islam y en los mandalas hindúes. En cuanto a la aparición de esta estrella en el contexto islámico (ya sea en construcciones, tras cada uno de los capítulos de su libro sagrado y en su heráldica), parece que su significado está relacionado con el paraíso musulmán, al que le rodean ocho montañas.

- Estrella de nueve puntas o nonagrama: esta estrella tiene un significado más personal que suele estar referido, sobre todo, a los éxitos. Además de este significado positivo, también tiene connotaciones ocultistas, ya que se utiliza en algunos ritos de magia.

Independientemente de la simbología ya establecida, el significado de las estrellas como tatuaje puede expandirse aún más de acuerdo con lo que quiera el tatuado. De manera que puede ocurrir que cada una de las puntas, ya sean cuatro, nueve, etc., simbolicen, por ejemplo, cuatro amores que han dejado marca, los siete pecados capitales y un sinfín de relaciones más.

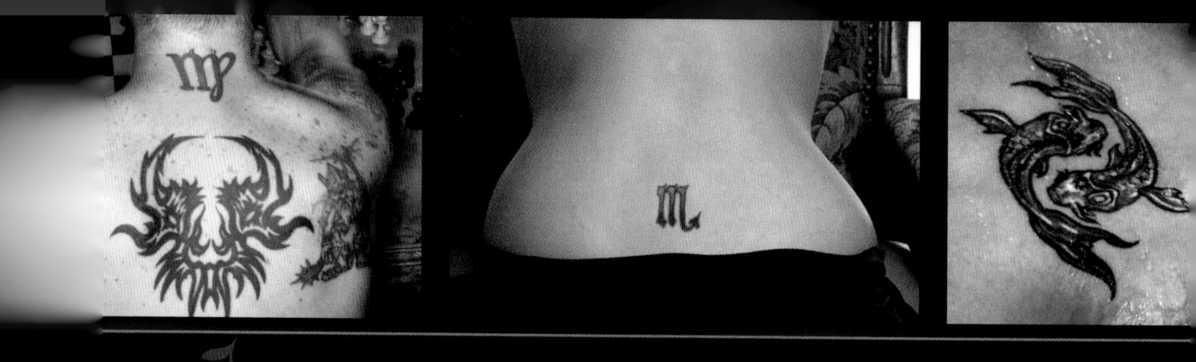

El zodiaco

La astrología o ciencia de los astros, como su nombre indica, estudia la posición de los astros y sus movimientos dentro de un determinado momento, y los relaciona con las características psicológicas y con el destino de las personas que nacerán en ese instante o de los acontecimientos que se llevarán a cabo en dicho momento.

♈ ♉ ♊ ♋
♌ ♍ ♎ ♏
♐ ♑ ♒ ♓

Para este propósito, los astrólogos elaboran cartas astrales donde se representan, dispuestos en rueda, los cuerpos celestes necesarios para su estudio. El círculo que contiene los planetas del sistema solar representa el zodiaco, una franja circular del cielo que contiene las constelaciones conocidas como signos zodiacales: Aries, Tauro, Géminis, Cáncer, Leo, Virgo, Libra, Escorpio, Sagitario, Capricornio, Acuario y Piscis.

Durante el año, desde la Tierra se observa que el Sol está en cada uno de estos signos una vez al año y durante aproximadamente un mes y, para la astrología, según donde esté en el momento del nacimiento tendremos unas características básicas. No obstante, para hacer pronósticos acertados y personales, se requiere estudiar globalmente la situación celestial del momento en que llegamos al mundo.

La astrología pasó de ser una creencia a ser una ciencia cuando las corrientes racionalistas

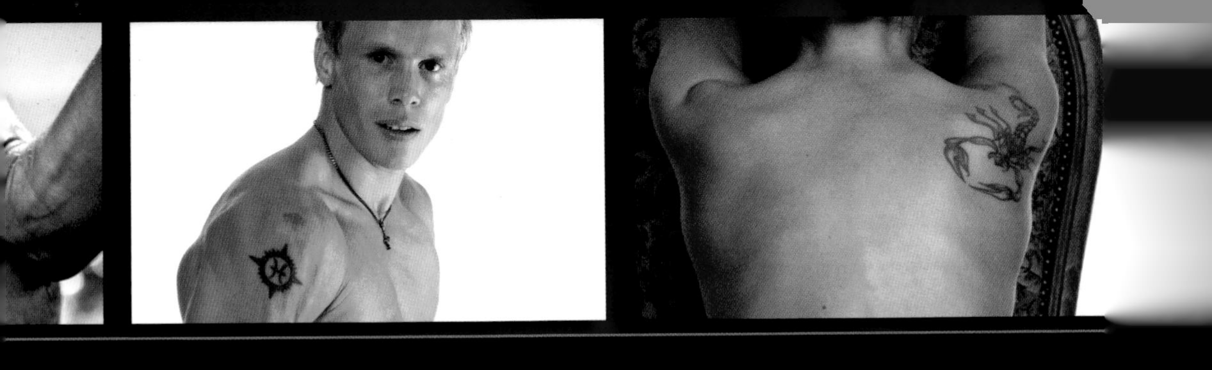

se adueñaron del pensamiento humano. Pero aun así, mucha gente da por válido el estudio astrológico y siente curiosidad por lo que las estrellas dictaron en el momento de su nacimiento y lo que pronostican cada día. Por eso muchas personas desean tatuarse su signo o, incluso, muchos de los símbolos planetarios que aparecen en la carta astral de su nacimiento.

Para encontrar un diseño relacionado con el signo zodiacal se debe tener en cuenta de que hay dos posibilidades: tatuarse el dibujo que lo representa (un toro, un cangrejo, etc.) o su símbolo astral.

- Aries (21 de marzo–19 de abril): es representado por un carnero y su símbolo es ♈. Este signo es de fuego y tiene como regente al guerrero Marte, que simboliza la lucha, la competitividad y las emociones intensas. Conlleva toda la fuerza vital de la primavera.

- Tauro (20 de abril–21 de mayo): el animal que lo representa es el toro y su símbolo es ♉. Pertenece al elemento tierra, ligado al mundo material, y simboliza la fuerza y la sabiduría instintivas, la sensualidad y la lealtad. Su planeta regente es Venus.

- Géminis (22 de mayo–20 de junio): es representado por dos gemelos y su símbolo es ♊. Pertenece al elemento aire, que a su vez se atribuye al mundo mental. Representa la inteligencia, el comercio, la capacidad de persuación y las situaciones opuestas, contradictorias y complementarias. Su regente es Mercurio.

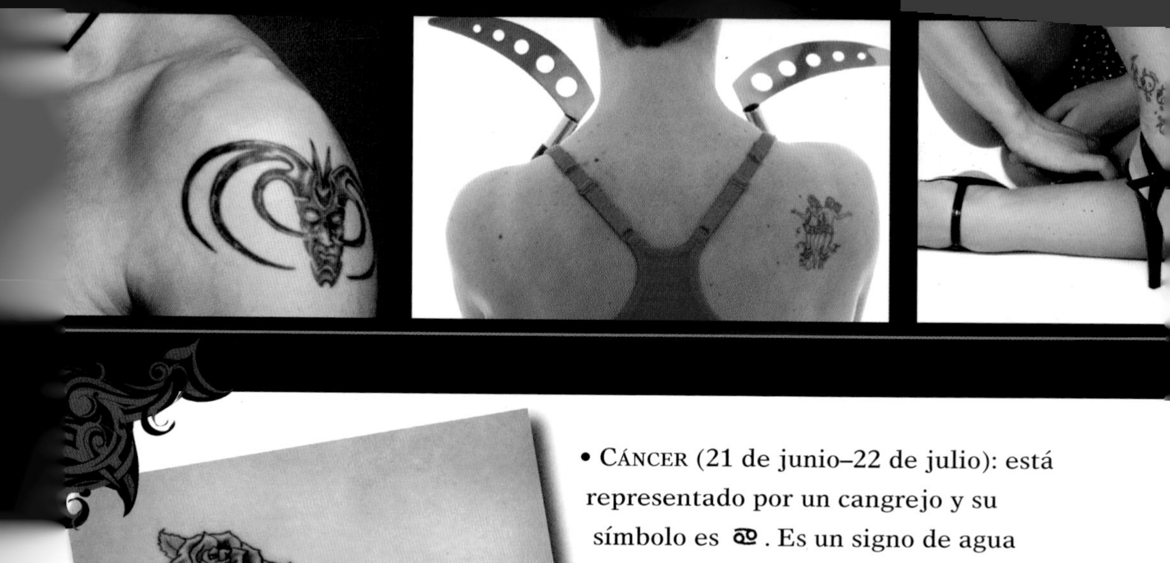

- Cáncer (21 de junio–22 de julio): está representado por un cangrejo y su símbolo es ♋. Es un signo de agua cuya herramienta para vincularse con el mundo es la sensibilidad. Su regente es la Luna, nuestro cambiante satélite, de ahí que también se asocie con las emociones.

- Leo (23 de julio–22 de agosto): le representa el león y su símbolo es ♌. Es el único signo regido por el Sol. Pertenece al grupo de fuego y simboliza la voluntad, el control y la honorabilidad.

- Virgo (23 de agosto–22 de septiembre): está representado por una mujer y su símbolo es ♍. Las cualidades de este signo son terrenales, ya que cobra relevancia en el momento de la recolecta y la nueva siembra. Está asociado a la previsión, la fertilidad y la constancia en el trabajo. Es regido por el planeta Mercurio.

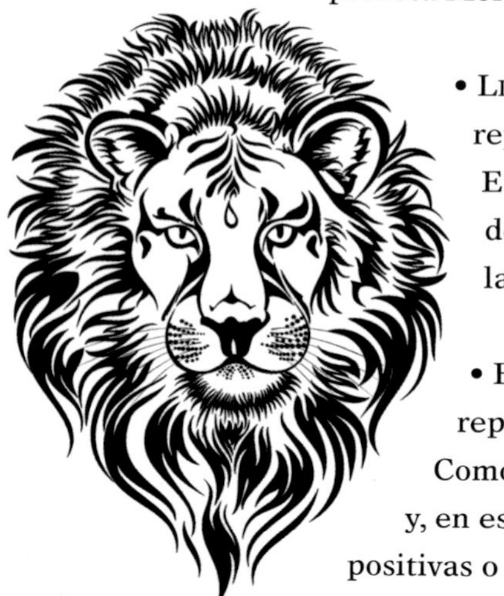

- Libra (23 de septiembre–22 de octubre): se representa con una balanza y su símbolo es ♎. Es un un signo de aire y simboliza la búsqueda del equilibrio, la elección entre los opuestos y la justicia. Está regido por planeta Venus.

- Escorpio (23 de octubre–21 de noviembre): se representa con un escorpión y su símbolo es ♏. Como signo de agua, se vincula a los sentimientos y, en este caso, a las pasiones profundas, sean positivas o negativas. Su planeta regente es Plutón.

- Sagitario (22 de noviembre–21 de diciembre): se representa con un centauro, un ser mitológico mitad hombre y mitad caballo, con un arco y una flecha. Su símbolo es ♐. El dominio del arco habla de sus cualidad principal, la profecía, la posibilidad de adelantar acontecimientos. Es un signo de fuego regido por Júpiter.

- Capricornio (22 de diciembre–20 de enero): está representado por un macho cabrío con cola de pez y su símbolo es ♑. La estancia del Sol en este signo comienza con el solsticio de invierno; una etapa iniciadora, pero oscura; prometedora, pero difícil. Su planeta regente es Saturno.

- Acuario (21 de enero–19 de febrero): se representa con un hombre vertiendo agua de un jarrón o dos y su símbolo zodiacal es ♒. Como signo de aire, se relaciona con el mundo mental y sus cualidades son la organización y la visión de futuro. Su planeta regente es Urano.

- Piscis (20 de febrero–20 de marzo): está representado por dos peces que nadan unas veces en direcciones puestas y otras en la misma dirección, pero que están atados por un hilo en sus colas. Su símbolo es ♓. Sus atributos los compone la dualidad espíritu-alma, dejando a un lado el plano físico. Piscis es el signo de agua por excelencia y el último del zodiaco, que cierra el círculo y permite un nuevo comienzo. Está regido por el planeta Neptuno.

Criaturas míticas

Las leyendas, esos cuentos asombrosos que encierran historias de personajes fantásticos, dejan en la mente una semilla de incredulidad pero, al mismo tiempo, otra de creencias. Son tantas las historias que se cuentan de dragones, hadas, unicornios, elfos, sirenas y otras criaturas míticas, que muchos ya dudan si son mero producto de la imaginación folclórica o si de verdad existieron en un pasado o, incluso, si todavía existen en nuestros días.

Tatuarse uno de estos seres es como afirmar su existencia, ya sea en el corazón o en la razón. Sin embargo, también existe la posibilidad de que la elección de un diseño de fantasía simplemente ocurra por la simbología que representa el objeto en sí, o porque la forma de ser y actuar del personaje se asemejen a las propias.

El ave Fénix

De todas las aves del mundo, las leyendas cuentan que existe una milenaria y única en su especie. Es del tamaño de un águila, con alas rojas brillantes y perfumadas y dos largas plumas sobre la cabeza; su nombre es Fénix y proviene de los desiertos etíopes. Cuenta la tradición que nunca muere sino que, cada años, arde sobre el fuego y resurge renovada de sus propias cenizas.

El ave Fénix representa, la inmortalidad. Sus repetidas muerte y resurrección durante centurias le ha convertido en el símbolo de vida eterna por excelencia; sin embargo también recoge otros simbolismos: representa la soledad, ya que es una especie única que realiza su viaje por la vida y la muerte completamente sola; es símbolo de esplendor y de virtud porque se le atribuye el don de la luz y la vida.

Los diseños para tatuaje del ave Fénix son todo un símbolo místico y se suele dibujar o con colores, muy vivos, o con líneas negras tribales.

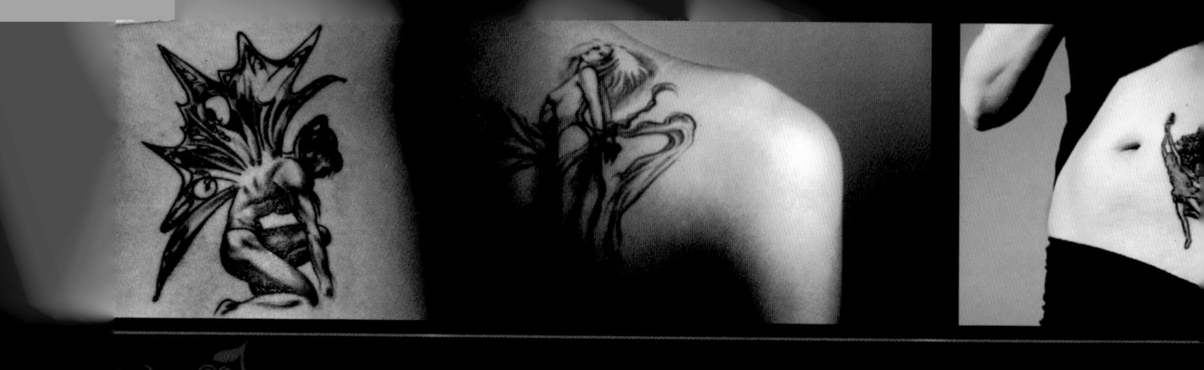

Las hadas

Las hadas son criaturas fantásticas de las leyendas folclóricas celtas y aunque todas tienen aspecto humano y femenino y son poseedoras de poderes mágicos, su descripción, así como la explicación sobre su origen, es diferente según la zona y la época.

Los textos más antiguos las describen como seres de gran tamaño, radiantes y, en algunos lugares, se las ha considerado seres originarios del mundo de los muertos. Pero también hay una teoría según la cual las hadas son parte de una raza de seres diminutos que antiguamente habitaban las colinas de las naciones celtas y las Islas Británicas.

Fue en la época victoriana cuando el hada diminuta, hermosa y alada, la más popular en nuestros días, se impuso sobre los demás modelos. En muchos cuentos de ese periodo se describen sus hazañas en los bosques, los engaños y las travesuras

Muchas hadas son representadas con alas y nos hablan de las travesuras que provocan gracias a su carácter inquieto y su mente ágil. Lo habitual es que este tipo de hadas habite en los bosques.

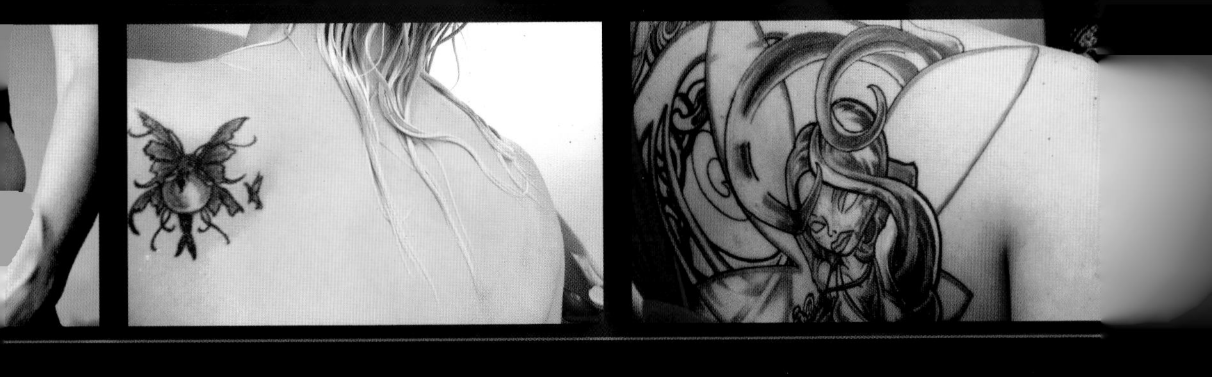

que les hacían a los humanos y advertían de su decadencia provocada por la destrucción del medio natural, por lo que perdían las zonas donde solían habitar.

Los tatuajes de hadas ofrecen varias posibilidades: hadas traviesas, hadas hermosas, con alas o sin ellas, rodeadas de naturaleza, tenebrosas y malvadas, etc. El hada simboliza el escapismo del mundo de los mortales, la belleza sobrehumana y la travesura.

Por otra parte, los llamados cuentos de hadas son un género que ofrece a los niños relatos intensos con una moraleja clara. Estas historias ofrecen hechos inverosímiles que se han asociado a los personajes de las hadas, los elfos, los gnomos, los troles, etc. Durante siglos han alimentado la imaginación y los miedos de muchas generaciones de niños que han aprendido con ellos. No en vano, Albert Einstein dijo: «Si quiere que sus hijos sean brillantes, léales cuentos de hadas».

Muchos artistas y escritores recurren a ellas en busca de la inspiración y, en estas ocasiones, son llamadas musas. Estas deidades vivían en el Parnaso o en el Helicón.

Las sirenas

El mar, que compone más de la mitad del globo terrestre, cuenta con numerosas especies, la mayoría de ellas asombrosas. Millones de leyendas y mitos suceden en las aguas, no solo porque las profundidades marinas envuelvan un gran misterio, sino también porque los primeros textos que heredamos se gestaron en épocas en las que tuvieron su comienzo el comercio marítimo y los primeros viajes.

Desde que Homero escribió en la Odisea, en el siglo VIII a. C., que en los mares existen unas mujeres-peces que seducen y atraen a los marineros con sus cantos y su belleza, y que jamás les devuelven a tierra, muchos hombres afirmaron haberlas visto y su existencia no se puso en duda durante siglos gracias a los innumerables relatos que, sobre ellas, hicieron los viajeros.

Existe cierta evidencia moderna de la existencia de estas criaturas: Cristóbal Colón, en la travesía por el océano Atlántico, dijo haberlas visto, hecho confirmado por su tripulación.

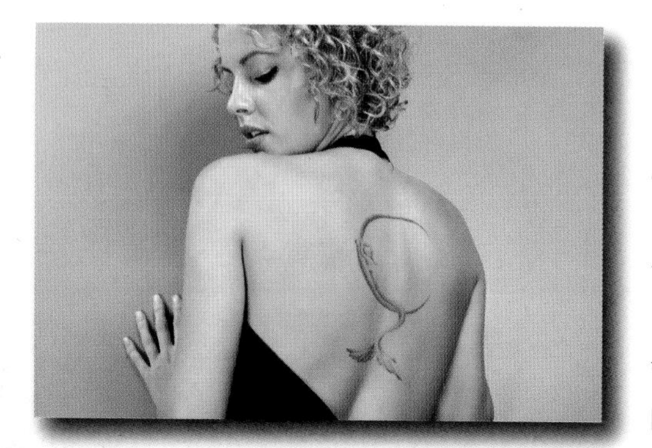

Seres de las aguas, mitad pez y mitad mujer, con cabellos largos de colores marinos y canto melodioso, las sirenas son los personajes más temidos y amados de las leyendas forjadas por los navegantes; y como estos fueron los iniciadores del tatuaje occidental, las sirenas han sido uno de sus principales dibujos que se marcaban en la piel.

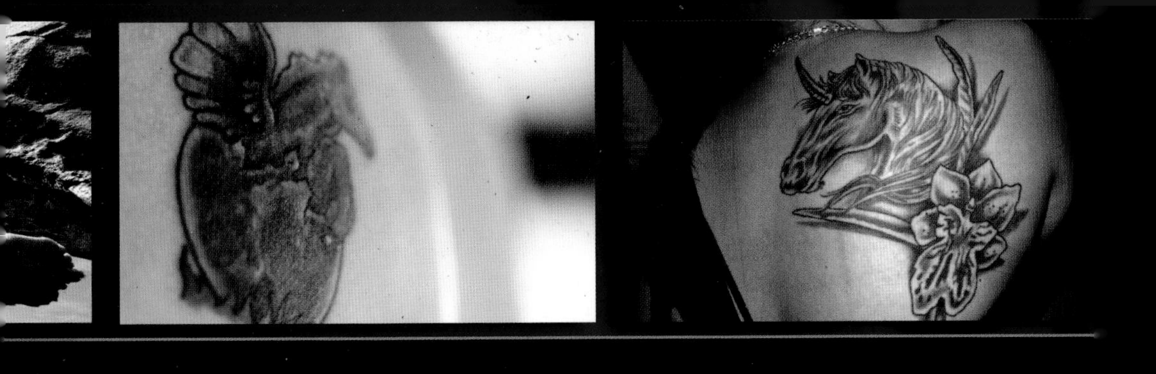

El unicornio

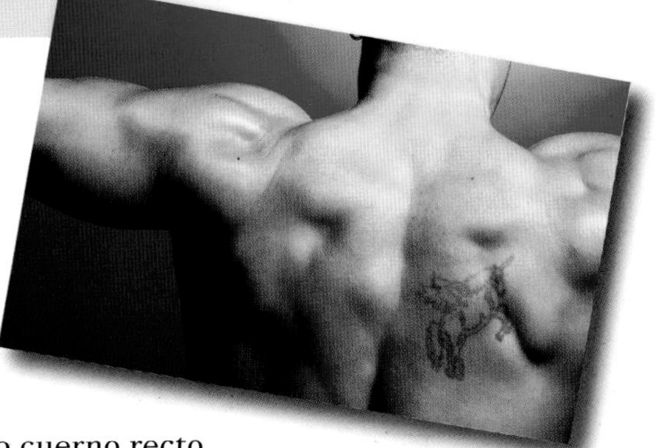

Es un animal mítico cuyo origen se remonta a los años anteriores a la era cristiana. Tiene el cuerpo totalmente blanco, con forma de caballo y a veces se ha representado con cola de león y con patas y barbas de cabra. Su elemento más particular es un hermoso cuerno recto y largo situado sobre la frente. Hasta la época renacentista se daba por hecho que realmente el unicornio existía.

Las fábulas lo describían como un animal mágico que curaba mediante su cuerno. Este también servía como protección, ya que tenía la cualidad de cambiar de color al ponerse en contacto con agua o comida envenenada. También decían que era el animal preferido de las damas vírgenes, que calmaba sus deseos en cuanto se tumbaban sobre su lomo. Esta característica, junto con su inmaculado color blanco, ha servido para ver en él un símbolo de pureza. El espectacular cuerno del unicornio, como todos los demás, simboliza la fuerza. Por su forma recta y alargada (fálica) se le asocia también con la fecundidad y estos caracteres cobran especial significado al considerarse su posición.

En vez de tatuarlo de cuerpo entero, muchas veces se dibuja solo su parte más representativa, la cabeza.

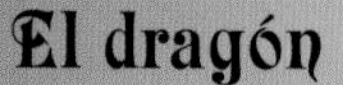

El dragón

Sin lugar a dudas, por su feroz anatomía, su curiosa fisonomía y su espíritu generalmente maléfico, el dragón es el animal fantástico más temido en cuentos y fábulas occidentales.

La descripción más común lo pinta como una serpiente gigante, con cuatro patas acabadas en garras, alas vertebradas y membranosas como las de los murciélagos y con un aliento tan mortífero que sale de su boca o de sus fosas nasales en forma de fuego. Su cometido solía ser guardar grandes tesoros, princesas o cautivos importantes que debían ser rescatados por los héroes; por esta razón, es símbolo de retos difíciles o peligrosos y de heroísmo.

La simbología oriental, por el contrario, otorga al dragón valores positivos. Especialmente en la cultura china se le atribuyen poderes celestiales y creadores, pero al ser un animal que reside en las aguas, también es asociado con la fertilidad terrenal.

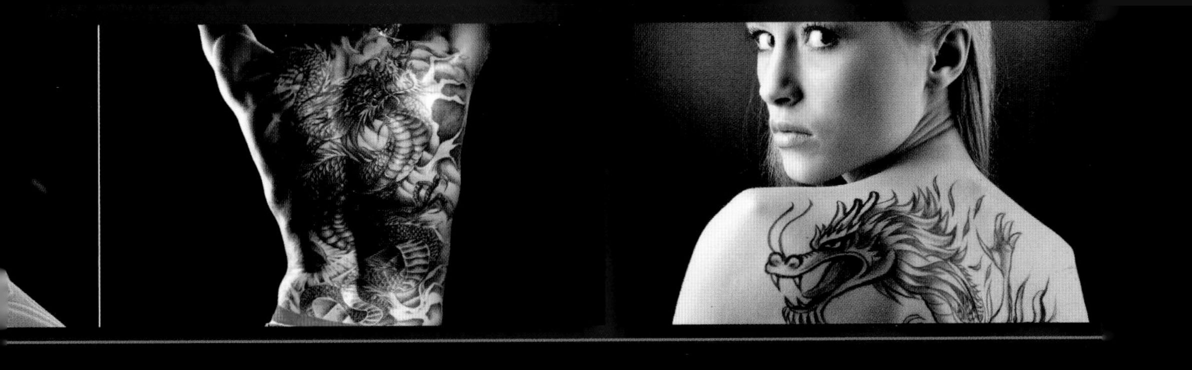

En términos generales, el dragón siempre se asocia con el poder, ya sea maligno o divino; de ahí que en diferentes culturas muchos reyes lo hayan utilizado como símbolo para representar sus respectivas naciones, tal y como se observa en la heráldica.

En el campo del tatuaje, los diseños más buscados son los chinos, los tribales y los de estilo medieval. Los primeros están bellamente ornamentados con flores y colores; los tribales forman el cuerpo del animal con rasgos geométricos y los diseños medievales suelen acompañarlos de imágenes de leyendas del medievo.

Por su peculiar anatomía, los dragones son una pieza muy versátil para el tatuaje. Su cuerpo retorcido y alargado se puede extender por partes amplias del cuerpo, como el torso, toda la espalda o el muslo, y se puede adecuar fácilmente a las curvas de la superficie para lograr un mayor efecto estético y otorgarle más fuerza a la representación de esta criatura mítica.

Las diversas representaciones del dragón, ya sea en color o en negro, ofrecen siempre una imagen de poder, que en Occidente tiene un sentido negativo, mientras que en Oriente posee características positivas.

Otras criaturas míticas

A lo largo de los siglos se han ido recogiendo muchas historias originales de cada lugar sobre la mitología de los pueblos. Todos los grupos culturales apuntaron a describir sucesos fantásticos, con personajes fabulosos y criaturas imaginarias, algunas de carácter folclórico y otras con un sentido religioso. Entre aquellas culturas, las mitologías más populares son la griega, la romana, la egipcia, la sudamericana, la celta y la escandinava.

• Mitologías griega y romana: la civilización griega creó un gran archivo de mitos de dioses, semi dioses, héroes y criaturas. Algunos ejemplos son los dioses del Olimpo, el heroico Perseo, el Hades o infierno, la temida Medusa y Pegaso, el famoso caballo alado.

Luego, los romanos tendieron a adaptar la tradición griega a su cultura mitológica, aunque cambiaron muchas historias y símbolos. Entre los mitos romanos, se habla de los dioses de culto (Júpiter, Saturno, Venus, etc.).

• Mitología egipcia: los egipcios divinizaron los sucesos naturales con cuerpo de hombre y cabeza de animal; así tenían a Ra como dios del Sol, un hombre con cabeza de halcón; a Anubis, el dios protector de la necrópolis, que poseía la cabeza de un perro, etc.

- Mitología sudamericana: los pueblos de Sudamérica son muy ricos en mitología, que se divide, a grandes rasgos, en mitología maya, azteca e inca. Su iconografía resalta deidades con formas geométricas complejas y alejadas de la imagen del ser humano.

- Mitología celta: del pueblo celta se han registrado diferentes mitologías, entre ellas las más importantes son la irlandesa y la galesa, que describen deidades, héroes y orígenes de estos pueblos. También cuenta con los dioses de Lusitania (Endovellico, Trebaruna, etc.).

- Mitología escandinava: la mitología nórdica nació en la era vikinga y comprende dioses mortales, gigantes, enanos, elfos, valquirias, nornas, bestias y numerosos personajes. Odín, Freja, Thor o Loki, son algunos de ellos.

Hoy en día, la popularidad del tatuaje ha multiplicado la pasión por los símbolos de las civilizaciones más antiguas. Son tatuajes atractivos y con un significado específico que le dan cierto carácter ancestral y divino a la persona que los lleva.

NATURALEZA

En la actualidad existe un drástico alejamiento de la naturaleza. Vivimos en un mundo de rectas y paralelas, rodeados cada vez más de objetos artificiales que están muy lejos de parecerse a los que encontraron los primeros hombres en su entorno. Edificios de hierro y cristal, ropa sintética, utensilios de plástico, tintas acrílicas, espacios circunscritos en planos horizontales y verticales con ausencia de curvas, etc.

Este supuesto avance de las sociedades no solo genera problemas en el ecosistema, que sufre las consecuencias de su alteración, sino también en el hombre que no está preparado ni conformado para vivir en un mundo gris y que lo logra limitando las posibilidades de su organismo, atrofiando sus músculos y capacidades tan importantes como la agudeza visual, auditiva u olfatoria.

Hay una parte del cerebro del hombre que no ha evolucionado a la par con los cambios sociales, que aún piensa que luchamos por conseguir los alimentos como si viviéramos en plena naturaleza, que le impulsa a pasar por alto sus necesidades en un afán de satisfacer su espíritu depredador. La consecuencia de ello es clara: su mente sufre. El tatuaje cumple aquí con una función de analgésica.

Quienes se tatúan objetos de la naturaleza sienten su atracción y experimentan la necesidad de poder observarla y también de fundirse con ella.

Mundo vegetal

El mundo vegetal es rico no solo en formas, sino también en colores, olores y texturas, y ha sido el marco en el cual se ha desarrollado la especie humana. Tiene una función esencial para la vida en el planeta: transformar el dióxido de carbono en oxígeno respirable para todas las especies animales.

Las plantas muestran una amplia variedad tanto en sus raíces como en sus tallos, hojas, flores y frutos y muchas de ellas han sido empleadas como símbolos por las diferentes culturas que pueblan el planeta. Tal es el caso del laurel, cuyas ramas se usaban para tejer coronas que señalaban la victoria.

Entre los tatuajes vegetales más habituales están los de las setas. Los hongos con forma de sombrilla, tan populares en los cuentos infantiles, simbolizan cobijo, aunque también se les suele atribuir un significado psicodélico, ya que muchos de ellos son venenosos o alucinógenos.

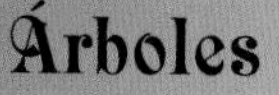

Árboles

Son, al igual que las plantas, esenciales para la vida del planeta. Con ellos se ha representado la vida en numerosas mitologías, como la escandinava y la de muchas culturas chamánicas, y para los cristianos tiene una significación esencial relacionada con la prohibición y el pecado a través del Árbol del Bien y del Mal.

Su simbolismo es muy amplio, lo que hace del árbol una imagen muy versátil a la hora de emplearlo en un tatuaje. Estos son algunos de sus sentidos más populares:

- **Conexión:** mediante el árbol se establece una conexión de lo subterráneo con lo terrenal y lo celestial; sus raíces se abren paso hacia las profundidades de la tierra; su cuerpo, el tronco, nace en la superficie y su copa; sus ramas, apuntan hacia el cielo. En muchas historias religiosas el árbol ha sido utilizado para representar una conexión de lo divino con lo terrenal y es bajo un árbol donde sucede el encuentro de un hombre con su dios.

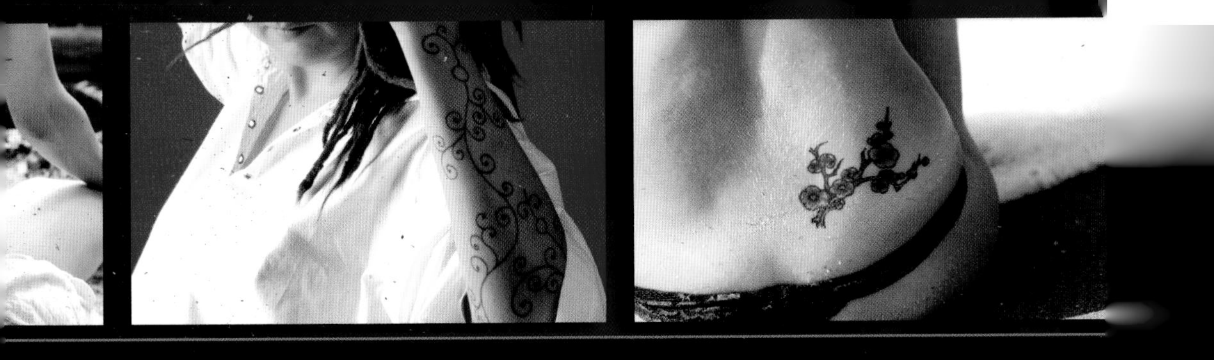

- **Renacimiento:** a lo largo de un año, los árboles de hoja caduca pasan por el ciclo de nacimiento-muerte-nacimiento. En primavera le salen las hojas, las cuales viven hasta que en otoño degeneran y caen de las ramas, y el árbol sobrevive al invierno desnudo hasta que de nuevo llega con la primavera la época de nacimiento.

- **Divinidad:** algunos pueblos han elegido ciertos árboles como representación de su más elevado ser sagrado. Entre esos árboles sacros se encuentran las encinas (celtas), las higueras (India), los melocotoneros (China), los fresnos (Escandinavia), los tilos (Germania) y los olivos (Israel).

El diseño para el tatuaje de un árbol se suele encontrar en su imagen realista o en la de diseño celta. En el primer caso, los colores que se emplean son el marrón para las raíces y el tronco, y el verde, para las hojas. Sin embargo, es mucha la gente a la que le gusta un tatuaje únicamente con trazos negros, que quedan muy bien en contraste con el color de la piel.

Tradicionalmente, el árbol es símbolo de vida, sabiduría y diversidad porque su tronco está dividido en ramas, las cuales se subdividen en otras más pequeñas. Todas las civilizaciones han representado los árboles como símbolo sagrado.

Flores

El ornamento más sencillo y natural del mundo son las flores que, con sus formas caprichosas y sus colores, alegran la vista.

La imagen floral es muy popular también en cuanto al tatuaje, no solo entre las mujeres, grandes amantes de este vegetal, sino también entre los hombres. Existen tantas especies de flores que resulta fácil que alguna sea del gusto del cliente aunque, y por la misma razón, también se hace difícil decidirse por una. Para ello, una vez más, la simbología ayudará a decidir cuál es la más adecuada para cada persona.

En un principio, todas las flores son símbolo de delicadeza y sumisión; se marchitan rápidamente y su necesidad de la luz solar y el agua denota sumisión a la vez que pasividad, ya que descansan sobre el suelo a expensas de que la naturaleza las nutra.

Pero sus características más estimadas son la belleza y la fragancia que despiden, y de aquí deriva que se relacionen instantáneamente con las cualidades de armonía y virtud. Los ramos de flores se entregan para rendir tributo, ya sea en una gala de premios, en otras festividades e, incluso, en los funerales.

Las flores que más se ven en los estudios de tatuaje son:

- La orquídea: símbolo de fertilidad. Su nombre deriva de la palabra latina *orchis* que significa testículo y antiguamente se empleaba para realizar afrodisíacos. Es una flor que cuenta con más de 20.000 especies derivadas, lo cual ofrece muchas alternativas para los diseños de tatuajes.

- La rosa: símbolo de amor y pasión. Esta flor tiene un elemento especial, un tallo espinoso que le sirve de protección. Sin embargo, a la hora de hacerlo en un tatuaje, las espinas pueden significar el daño que produce una relación sentimental.

- La amapola: el color rojo de esta flor habla de pasión, que en este caso es más una pasión espiritual que física. Si una persona sueña con una amapola, significa de sacrificios, pero también de mirar al futuro, dejando atrás el pasado.

- La margarita: símbolo de paz e inocencia. Si está entera, representa el amor ingenuo; si aparece deshojada, la búsqueda del afecto o la pérdida de la inocencia. Ya marchita, señala el final de la etapa infantil o la tristeza por la ausencia de paz.

- La flor de lis: símbolo de nobleza y lealtad. La flor del lirio adoptó esta imagen simbólica con un nuevo nombre, flor de lis, en Francia hacia el siglo V, y después fue adoptada por todas las casas reales europeas.

- La flor de loto: representa el renacimiento y la perfección. Su simbología nació en Oriente y su diseño se utiliza mucho en tatuajes de estilo japonés. Es la flor sagrada del budismo, que suele trazarse con una imagen de Buda sentado sobre su hoja recitando el mantra más famoso: «Om mani padme hum».

- La flor del cerezo: representa lo delicado y efímero, ya que el cerezo solo florece durante dos semanas en primavera. En Japón se celebra la aparición de sus primeras flores para recordar que todo es efímero, aunque bello. Así se recuerda la brevedad de la propia vida, no solo la de la flor del cerezo

El color con el que se pinte una flor añade un simbolismo extra al tatuaje, ya que cada uno de ellos tiene, además, un significado preciso. Así, una rosa negra simboliza un amor que ha desaparecido dejando una huella dolorosa y la roja, en cambio, una pasión ardiente. Las margaritas de muchos colores significan alegría, pero una sola y de color blanco representa la pureza o virginidad. La orquídea azul es sensual, mientras que la roja apunta más al terreno sexual.

La flor de cerezo casi siempre se pinta de su color, rosáceo, aunque si se busca dar un toque más dramático y sexual se hacen sus pétalos en color rojo.

Otra característica del tatuaje de la flor que lo hace tan popular es que adorna estupendamente cualquier zona del cuerpo. Las pequeñas quedan bonitas cuando se dibujan en zonas del cuerpo amplias, trazando con ellas un paisaje o ramo; o solas, en zonas más pequeñas, como las muñecas, los tobillos, la nuca o los omóplatos. Las de mayor tamaño se reservan para zonas que permitan su diseño: muslos, espalda, hombros y torso.

Además de la expresión realista, los tatuajes de flores también se pueden amoldar a versiones tribales, góticas, caricaturescas, mecanizadas, etc. Y no solo les interesa a las mujeres; es un tatuaje unisex porque, aunque antaño la flor era símbolo de femenidad, hoy se le atribuyen muchos significados, sumando así el interés de los hombres.

Los cuatro elementos

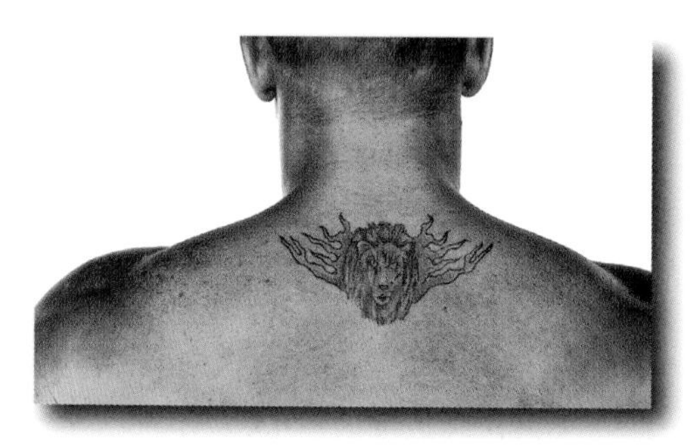

Hace milenios, cuando se buscó describir la materia de la está constituido el universo, se resaltaron ciertos elementos llamados también principios fundamentales. Este pensamiento lo compartieron filósofos y científicos, tanto occidentales como orientales. Los griegos presocráticos contaron hasta cuatro elementos: tierra, aire, fuego y agua; en las culturas de Japón e India añadieron a esos cuatro elementos uno más, el vacío.

Los japoneses suelen hablar de viento, no de aire; y en medicina tradicional China consideraron que los elementos esenciales son tierra, agua, fuego, metal y madera.

Cada cultura ha reflejado estas materias constitutivas con diferentes diseños, pero los tatuajes más frecuentes en este terreno son los del fuego y los del agua.

- Tatuajes de fuego: son un símbolo inequívoco del rock, sobre todo en su versión más dura, la música metal. Las asociaciones que se hacen del fuego, desde el día de su descubrimiento, son de peligro y destrucción, aunque también de poder. Por otro lado, el hecho de que se encienda (sobre madera u otro material) ha conseguido que se identifique con el acto sexual, que también se enciende en su éxtasis.

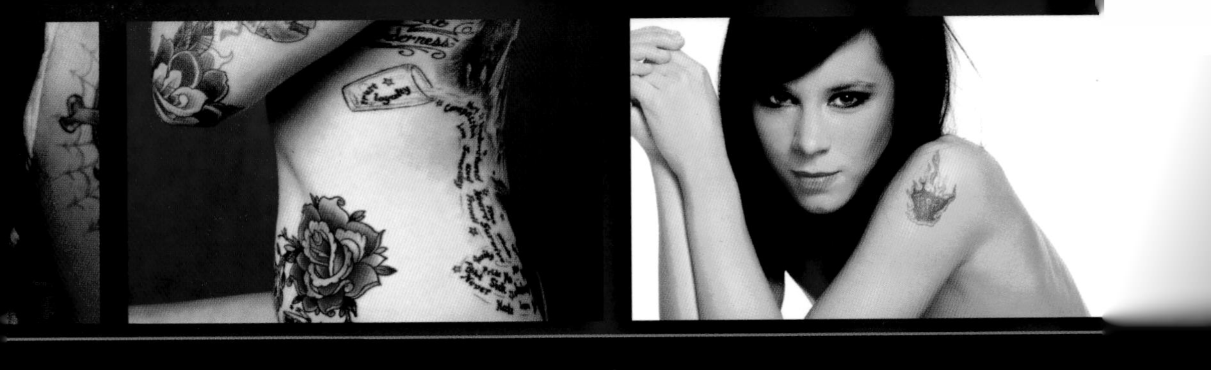

Se hacen tatuajes de bolas de fuego y, sobre todo, de llamas; pero estos diseños suelen acompañar a otros, dándoles un poder indiscutible y aspecto temible.

- TATUAJES DE AGUA: según su diseño, representan diferentes ideas; la ola japonesa del pintor del siglo XIX Hokusai simboliza la represión religiosa que sufrió Japón en el periodo Edo y es una de las marcas inmortales del arte japonés. Otros diseños marinos pueden simbolizar bravura o tranquilidad, dependiendo de si las aguas están calmadas o no.

El agua también se puede tatuar cayendo de un cántaro o en forma de lluvia, cuyo simbolismo son las emociones; incluso en forma de cascada, lo que significa felicidad, purificación y aventura, o acompañada de un pez koi escalándola, que habla del triunfo en la vida.

Todas las grandes culturas han recurrido en algún momento al agua para representar algún significado concreto.

Arriba, la ola dibujada por Hokusai es un símbolo en la cultura japonesa porque suponía una crítica a través de la fuerza del agua, el gran símbolo de la vida. A la izquierda, una colorista representación del agua. En la página anterior, el fuego es el protagonista de estos tatuajes.

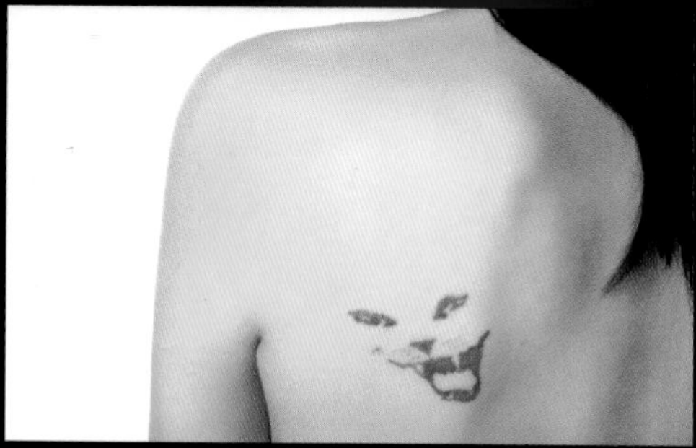

Mundo animal

Los animales son los seres vivos cuyo comportamiento puede compararse más fácilmente con el del hombre, de ahí que se les atribuya una gran variedad de asociaciones. Toda la historia de la humanidad transcurre a su lado ya que, en sentido positivo, han servido de alimento, de fuerza de trabajo o de compañía y, en sentido negativo, de constante peligro para la supervivencia. El amplio abanico de especies, ha brindado la posibilidad de señalarles atributos sobre los que más tarde se asentaron los símbolos; es proverbial la astucia del zorro, el dominio que ejerce el león sobre otros animales, la agudeza visual de los linces o la ferocidad del tiburón.

La simbología animal incluye mayoritariamente insectos, reptiles o anfibios, aves y mamíferos, ya que son aquellos que se ven con mayor

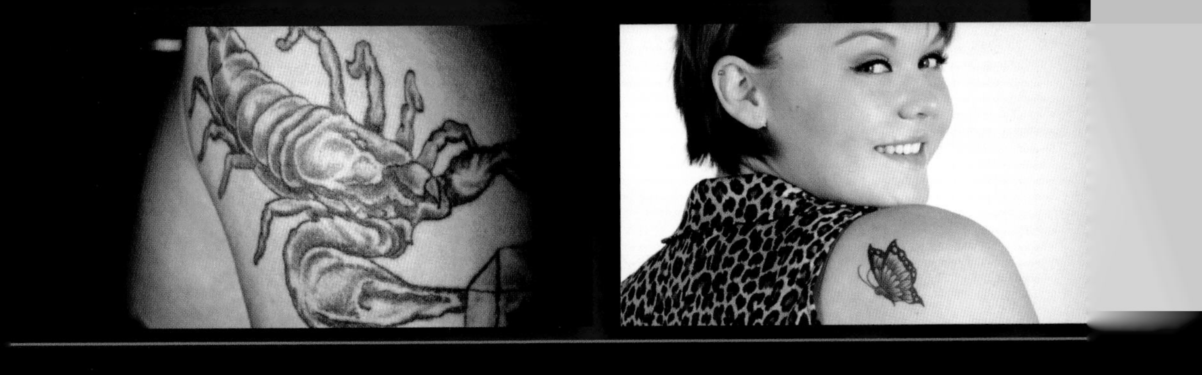

frecuencia y con los que más contacto ha podido establecer el ser humano. Son más escasos los símbolos atribuidos a peces ya que, si bien han servido de alimento, hasta épocas más tardías poco y nada se sabía acerca de sus características y costumbres.

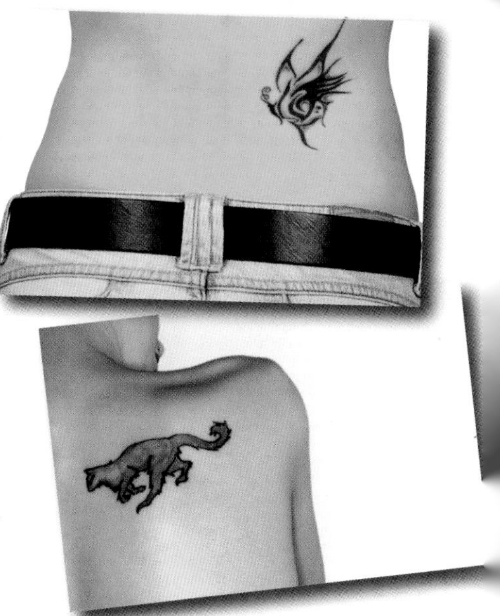

Los animales suelen ser uno de los motivos favoritos de aquellos que desean tatuarse; algunos lo escogen porque quieren llevar en su cuerpo el que represente a su mascota; otros porque se identifican con él o admiran alguna de las cualidades del animal elegido.

Animales salvajes

Su característica común es que nunca han sido domesticados por el hombre; ya sea porque este no lo ha intentado o porque sus propias características les impiden someterse a un amo. A la hora de buscar sus recursos son totalmente independientes; desde su nacimiento aprenden a desenvolverse en su espacio y tienen el sentido de la supervivencia muy desarrollado. Algunos son cazadores, otros pescadores, los hay carroñeros y también hervíboros o comedores de frutas.

En los estudios de tatuaje el catálogo de animales salvajes está siempre a disposición del cliente. Hay miles de modelos que incluyen desde partes del cuerpo de animal, como podría ser una garra, la cabeza o su huella, hasta la imagen completa, en tamaño grande y pequeño. Se suele recurrir a los animales salvajes para representar el gusto por las emociones fuertes o como símbolo de poder.

El guepardo

Mascota real de los sumerios, alabado como un dios por los egipcios, representado en la carroza del dios griego Dionisio, símbolo de estatus en las casas reales de Etiopía, el guepardo es un felino salvaje, tímido y delgado que ocupa un lugar importante en la simbología de los pueblos de la antigüedad.

Es el más precavido de los félidos que habitan en la selva, pues durante la caza, calcula todos sus movimientos y escoge bien su presa. Su debilidad es la falta de defensa ante animales más fuertes con los cuales comparte hábitat.

Está considerado como el animal terrestre más veloz; alcanza los cien kilómetros por hora, duplicando así la velocidad máxima del león. Otra de sus características es que, curiosamente, no emite rugidos, sino un sonido similar al de las aves.

La imagen del guepardo transmite en primera instancia la idea de rapidez y astucia, pero también de timidez y agotamiento, ya que el esfuerzo que implica alcanzar tan alta velocidad le deja exhausto y eso le impide cuidar mejor su presa, como hacen los demás felinos, y le expone a luchas con otros depredadores.

El diseño que más se ve en las salas de tatuaje es el de su rostro, con todas las motas características de su especie o, también, un «parche» de los motivos de su pelaje, tanto en blanco y negro, como en los mismos colores que le tiñen: amarillo pajizo y negro. Para hacerlo más llamativo y salvaje se suelen intensificar los tonos del animal usando el color naranja en vez del amarillo, a la vez que se dibuja mostrando los colmillos, con la boca muy abierta, como si estuviera a punto de atrapar una presa.

Aunque en principio pueda parecer un tatuaje netamente masculino, el guepardo simboliza también el carácter protector maternal. Existe una leyenda africana que cuenta que una guepardа abandonó una presa porque pensaba que un cazador había robado sus cachorros. El cazador, al ver que ella abandonaba su presa, fue a quitársela y el animal lloró tanto al perderlo todo que se le quedaron dos lágrimas marcadas para siempre en el rostro. La leyenda tiene un final feliz porque el animal recupera finalmente a sus crías y a su presa.

El león

Se le atribuye el apodo de «rey de la selva» y es símbolo de los valores más elevados de la humanidad: soberanía, fuerza, valor, honor, creación y destrucción. Su porte es majestuoso; su rugido, tremendo, y su fuerza sobrepasa a la de muchos otros animales de la sabana, lo que le convierte en el líder de la cadena alimenticia.

Las leonas quedan en un segundo lugar en la manada (aunque primeras en relación con sus hijos a la hora de comer) y no tienen la larga melena que adorna a los machos. Esta es la razón de por qué siempre se ha coronado al león y no a la leona.

Las imágenes históricas donde el león juega un papel importante son muchas y muy variadas. Las casas reales han adornado con ellos escudos, banderas y monedas; con él se representa el signo zodiacal regido por el Sol; también a uno de los evangelistas, San Marcos; y ha sido empleado como ornamento.

Mucha gente elige tatuarse un león para transmitir las ideas y valores de este animal, ya sea porque reconocen en sí mismos esos atributos o porque buscan en la imagen una sólida protección. Las zonas donde se suelen plasmar son el tórax, a la altura del corazón, y los brazos o la espalda.

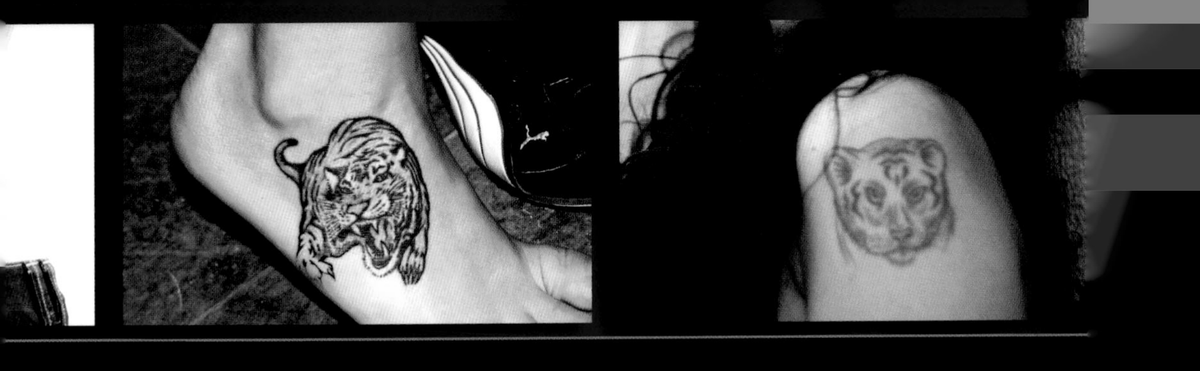

El tigre

Si el león se ha merecido el título de rey de la selva, el tigre lleva el de «rey de la caza». Junto al primero se sitúa en la cúspide de la cadena alimenticia de depredadores y compite en gran medida con el hombre. Pero a diferencia del rey de la selva, a este gran felino le gusta la soledad y es muy territorial.

Se le venera principalmente en China, país que ha recibido el sobrenombre de tigre asiático, y su imagen se puede observar en antiguos ornamentos orientales que tienen una función eminentemente protectora. También es símbolo de realeza en algunas regiones o tiene atributos divinos, ya que a la diosa hindú Shiva se le representa envuelta en piel de tigre.

Es más, así como en Occidente existe el mito del hombre-lobo, en Oriente se habla del hombre-tigre. Desde tiempos muy remotos en Asia se han tatuado la imagen de un tigre como símbolo de sensualidad, poder, autoestima, e incluso crueldad. También se asocia con el empeño y el hecho de perseguir los sueños sin descanso, con energía.

El motivo de su piel tiene, por sí mismo, un peculiar atractivo; sus rayas oscuras transversales le hacen óptimo para los diseños tribales.

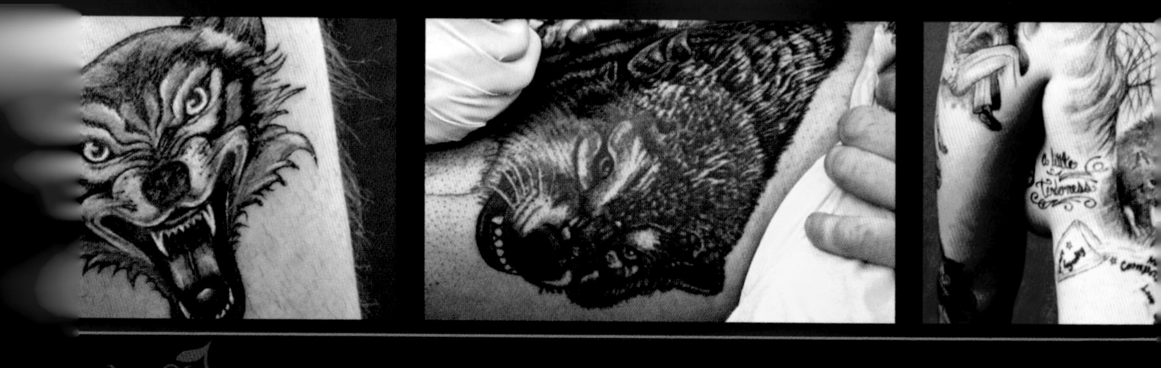

El lobo

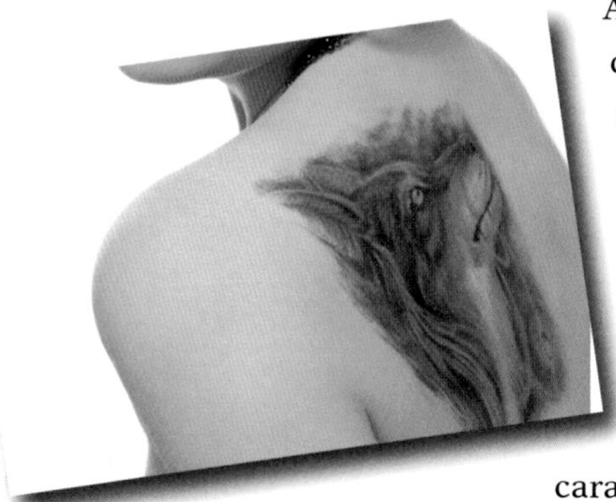

A lo largo de miles de años, el hombre ha convivido con el lobo, el más fuerte de los cánidos, de ahí que sea al que más asociaciones simbólicas se le hayan atribuido.

El lobo protagoniza muchos mitos y cuentos folclóricos, ya sea mostrando sus mejores cualidades, como las características más oscuras de su carácter. Tales historias son originarias de muchos lugares del mundo.

La parte de su carácter fiera y astuta le ha llevado a que el hombre lo aleje de la sociedad, ya sea manteniéndolo cautivo o matándolo, sobre todo para proteger los rebaños y el ganado. Por otro lado, ha sido elevado a los altares por muchos pueblos históricos: es el símbolo de Roma, quien cuenta cómo una loba amamantó a sus fundadores, Rómulo y Remo; se le identificaba con la divinidad nórdica Odín, la griega Apolo y la romana Marte; y los indios norteamericanos hicieron de él una figura emblemática.

El tatuaje del lobo suele estar conectado con su aspecto positivo, cuyos símbolos son la lealtad, el coraje, la fidelidad (cada lobo y loba tienen una sola pareja) y la victoria ante las adversidades. Su rostro prevalece en todos los diseños cubierto por un pelaje hermoso y con una mirada intensa.

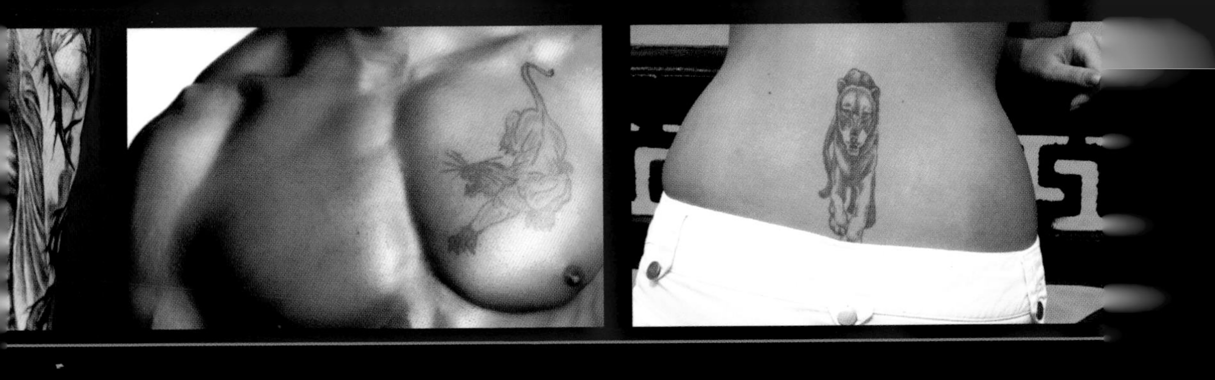

La pantera

La pantera es el nombre que se le da a leopardo de piel oscura, sin las manchas que le identifican a este. Es un animal muy fuerte, que se mueve con movimientos elegantes. Es un cazador como pocos en el reino animal, por eso suele representar la bravura, la ferocidad e incluso la habilidad guerrera.

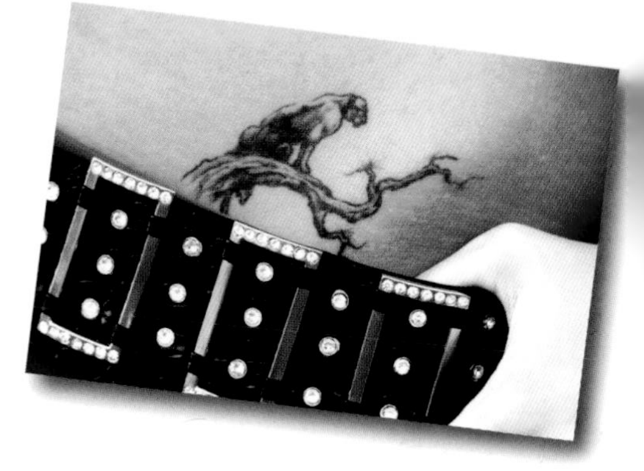

Además de la fuerza que transmite, la pantera también está relacionada con la lujuria y la sensualidad. Según algunos relatos antiguos, la pantera duerme durante tres días después de haberse comido a su presa. Durante este periodo de tiempo, estos animales desprenden un olor intenso que estimula su sexualidad.

También en la Antigüedad se quiso relacionar a la pantera con Jesucristo, debido a que entre su muerte y su resurrección también transcurrieron tres días.

Los diseños de los tatuajes de la pantera destacan siempre su fuerza muscular y los elegantes movimientos con los que se desplaza.

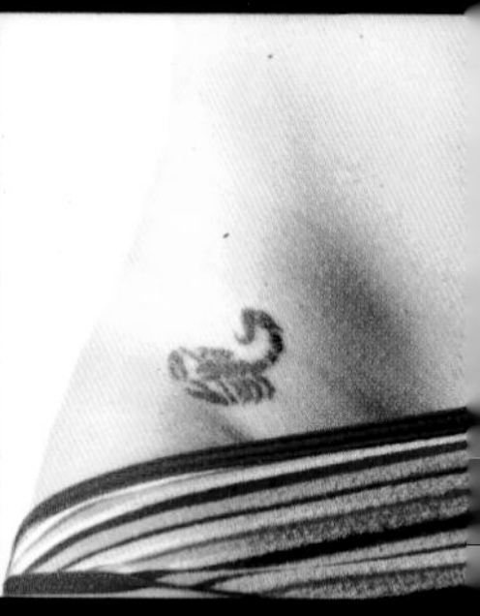

Arácnidos

Los arácnidos sobreviven en todos los climas con excepción del polar y a través de sus cerca de 70.000 especies han sido conocidos y temidos por el hombre. Entre sus subespecies se encuentran animales de carácter venenoso o parásito. Entre ellos, los escorpiones y las arañas han sido los que con mayor frecuencia se han asociado con el peligro y la muerte.

En el siglo II a. C., los sumerios, situaron el escorpión en una de las constelaciones; para ellos, simbolizaba la sequía, aunque también fue valorado positivamente por los agricultores que veneraban a la diosa de la creación, Innana.

La araña, en cambio, ha tenido para ellos un simbolismo más positivo al relacionarse con los aspectos buenos de la deidad: la fertilidad, el poder y la guerra. Los arácnidos también aparecen en mitos egipcios, siendo representados en los jeroglíficos, y en culturas posteriores como la greco romana, la oriental y la africana, simbolizando diferentes ideas o cualidades.

En las zonas del Pacífico representa tanto creación como engaño.

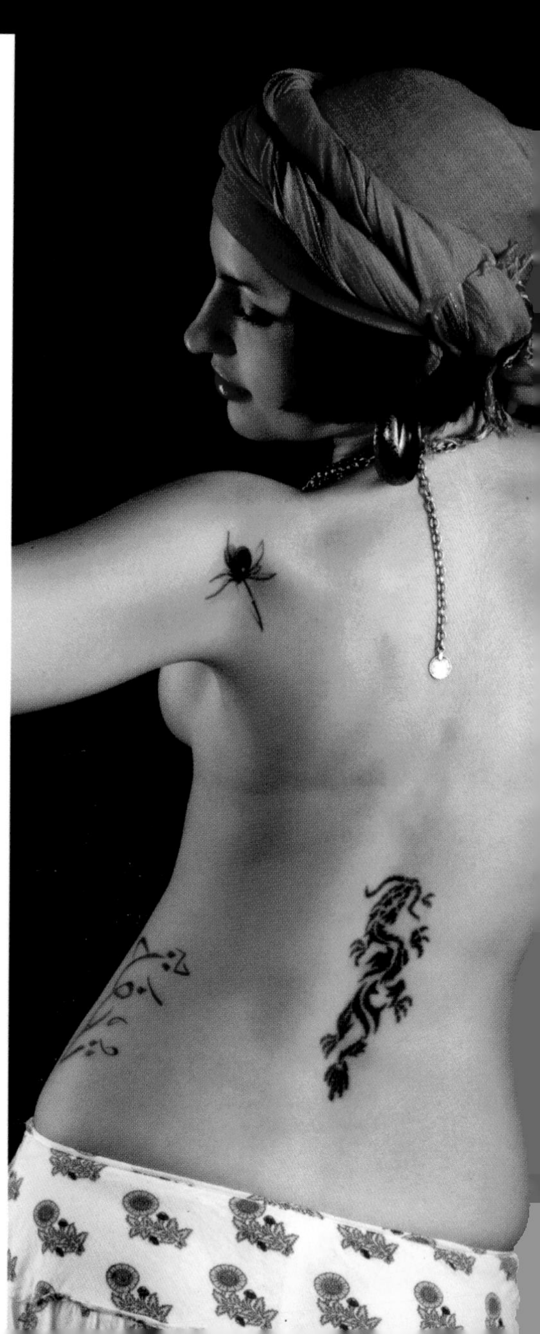

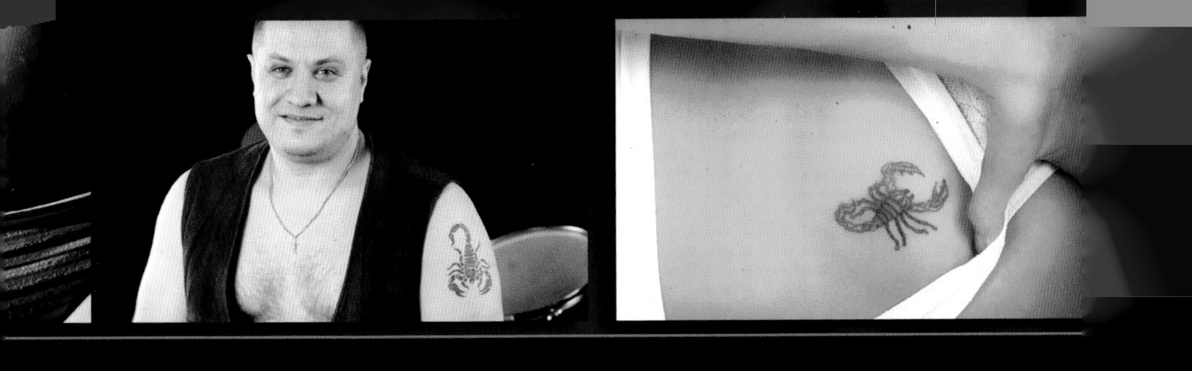

El escorpión

Por sus hábitos está vinculado a lugares áridos e inhóspitos, y su aguijón, en muchas especies, esconde un veneno mortal. Por esta razón no solo representa el peligro, sino también el poder de la caza o de la destrucción de los enemigos más ferreos.

Como signo zodiacal encierra la pasión, los sentimientos que anidan en lo más profundo del alma donde van cobrando intensidad hasta aflorar violentamente. Transmite una forma particular de justicia que propicia tanto la gratitud como proclama la venganza.

Los tatuajes de escorpiones tienen el significado que su portador le quiera dar; puede ser el del signo astrológico, el del mal o el de escudo protector contra los enemigos. O bien se puede adquirir el significado que le han dado diferentes culturas. Por ejemplo, en el Egipto faraónico el escorpión tuvo categoría de divinidad y fue relacionado con las diosas Selker e Isis. En algunos lugares del continente africano ni siquiera su nombre es mencionado debido a pavor que le tienen. Y en la cultura cristiana, el escorpión o alacrán se menciona siempre como castigo divino o plaga.

Curiosamente, la simbología que transmite el escorpión va del respeto más profundo al temor más acérrimo que pueda sentir una persona; son animales tan odiados como adorados.

La araña

Las arañas no solo han despertado temor en el hombre, sino también, una sincera admiración, ya que de su cuerpo sacan hilos con los que realizan una delicada red geométrica que les sirve para cazar a sus víctimas, servirse de transporte y proteger sus nidos. La textura pegajosa de la tela facilita la captura de sus presas. Son depredadoras; su principal alimento lo constituyen insectos en cuyo cuerpo aún con vida muchas especies depositan sus huevos para que la presa sirva de alimento a las larvas. Las hembras también suelen comerse al macho tras el apareamiento.

Los símbolos que atañen a esta criatura están ligados no solo a su imagen, sino al conjunto que forma con su tela; esta combinación, sobre todo con la araña situada en el centro de la red, representa en la cultura hindú el universo y la pertenencia a él, así como su dominación, en tanto que los antiguos griegos lo consideraron un símbolo de trabajo laborioso e interminable. Los cristianos, en cambio, vieron en ella una alegoría de las fauces del mal.

En los libros de muestra de los tatuadores se pueden ver diseños de

Los tatuajes de arañas pueden representarlas con o sin la tela, dependerá de si queremos aportarle un significado de competitividad o no.

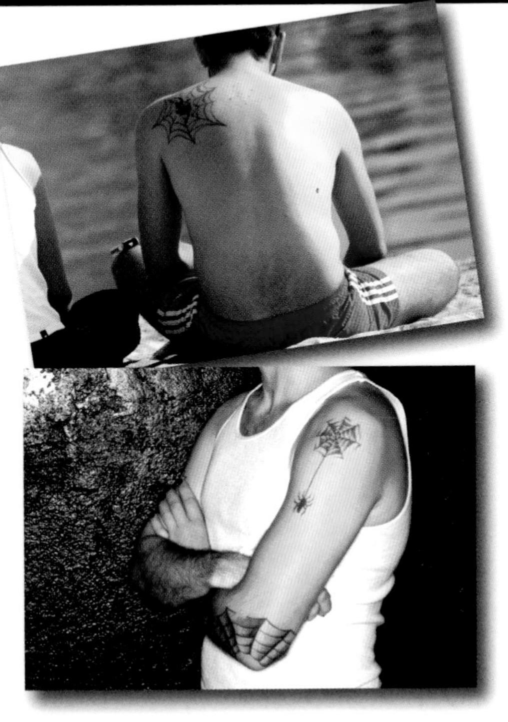

diferentes tipos de araña aisladas (peludas, pequeñas, de patas largas, etc.), pero también telarañas o ambas formando un diseño.

La elección del tatuaje de una araña sola suele estar motivado por una pasión hacia estos animales, en tanto que la araña junto a su herramienta de caza, la tela, tiene más un significado de competitividad, de destreza o de proyectos laboriosos. El tatuaje de la telaraña tiende a relacionarse con el significado de la cárcel, ya sea metafórica o real.

Entre el público femenino la araña suele tener un significado de dominación sexual y la peligrosa especie de la viuda negra es la preferida.

Y si la araña o viuda negra está en el centro de la tela que ha tejido supone una alusión más que evidente a la creencia de que está en el centro del mundo y es quien domina todas las situaciones.

Pero en general se puede afirmar que el significado dado a una araña suele ser negativo, desde la mitología griega hasta la cultura cristiana, para la cual la telaraña no es otra cosa que el símbolo de las trampas que el diablo pone a los hombres.

Animales acuáticos

Los animales acuáticos puede decirse que han sido los primeros objetos de tatuaje desde que se importó este arte de la mano de navegantes, ya que con ellos representaban el medio en el que transcurría gran parte de su vida profesional.

Tanto en el mar como en los ríos y lagos, hay una extensa variedad de especies que van desde los seres microscópicos a las ballenas o a los grandes monstruos marinos que, al parecer, habitan en las profundidades. En general, es muy habitual que los diseños de tatuajes contengan peces o mamíferos acuáticos; entre los crustáceos y moluscos, el que más se suele ver es el cangrejo, por su vínculo con el signo zodiacal Cáncer.

Los diseños más populares muestran imágenes que sugieren diferentes estados de ánimo: serenidad, fiereza, elegancia, etc. y se presentan sobre un fondo de piel o como parte de un fondo marino y se les suele aplicar colores muy intensos.

Los lugares y el tamaño de cada diseño están de acuerdo al significado que se le quiera dar o al gusto personal de cada uno.

El tiburón

Lo que llama la atención del tiburón es su voracidad y la habilidad para la caza. Aunque algunos de gran tamaño, como es el tiburón ballena, se alimenten únicamente de plancton, la idea que se tiene de los tiburones es que son crueles depredadores. En este sentido, es proverbial la voracidad del tiburón de piel atigrada, al que su ambición le lleva no solo a comer los peces y crustáceos que pueda encontrar, sino objetos inorgánicos (plásticos y neumáticos).

La mandíbula y su aleta son las dos partes más conocidas de su anatomía. Tiene más de una fila de dientes que caen para ser reemplazados cuando sufren algún tipo de deterioro. No tienen una única forma o implantación, ya que unos le sirven para sujetar a la presa, en tanto que otros para desgarrarla. Como su vista no es muy aguda, lo que utiliza para percibir a la presa es su fino sentido del olfato.

En general simbolizan poder, audacia, y ausencia de temor ante cualquier circunstancia. Aunque el tiburón como tatuaje no es muy común, sí lo es entre los aficionados al surf y entre los marineros.

El pez

Antes de la era cristiana, en los peces se han encarnado dioses de muchas culturas y estos animales han sido empleados para representar las características que les definían.

El vocablo pez en griego antiguo es *ichthys*, palabra que también significa «útero» y «delfín», y ello sugiere que los peces eran considerados símbolos de fertilidad, sexualidad y fuerza femenina. Esto concuerda con las concepciones celtas y paganas de algunas zonas del norte de Europa en las que el pez era considerado «La gran madre».

También Ea, la deidad babilónica, era similar a Dagon, el dios-pez de los filisteos, que tenía cabeza y brazos humanos, pero cuerpo de pez. En otras culturas se han encontrado deidades femeninas con la zona genital cubierta con la figura de un pez, lo que refuerza las teorías que adjudican a este animal un significado relacionado con la fertilidad, el sexo y el nacimiento.

Los primitivos cristianos adoptaron el pez como símbolo de la nueva religión. Teniendo en cuenta el vocablo *ichthys* o *ichtus*, representaban con él las siglas

En lo que respecta al tamaño del diseño, es importante señalar que las dimensiones reales del pez *koi* son las más bonitas y adecuadas a la hora de representar sus atributos.

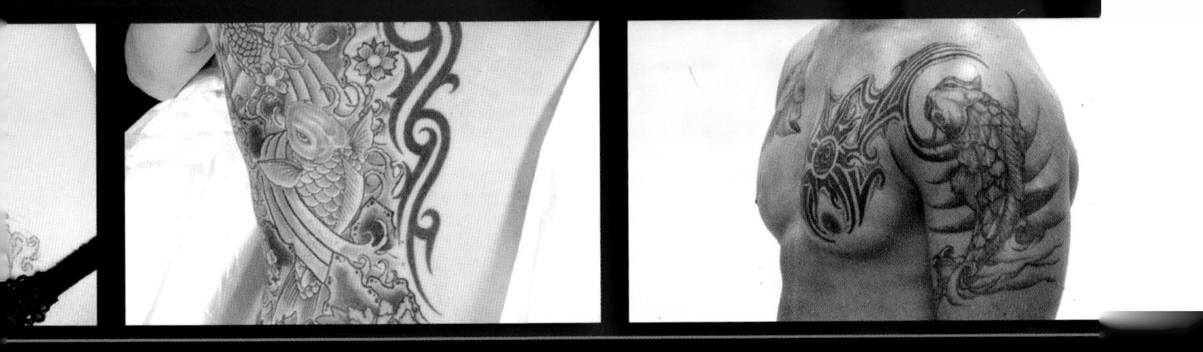

en clave que nombran al Salvador: I: Iesous (Jesús); Ch: Christos (Cristo); Th: Theou (Dios); U: Uios (Hijo); S: Soter (Salvador).

La estilización de la figura del pez, que consiste en dos arcos interceptados entre sí (llamada comúnmente *ichtus*), aparece grabada en las catacumbas. Todo parece indicar que en los tiempos que sufrieron sangrientas persecuciones, al encontrarse dos cristianos, uno trazaba, como al descuido, un arco (en la arena, en la palma de la mano del otro, etc.) y si quien acababa de encontrar era también cristiano, completaba la figura trazando el otro arco.

En lo que respecta a los tatuajes, el diseño más popular es el de los peces *koi*, una variedad de carpa común, que por sus colores se utiliza como ornamento en los estanques y las fuentes. En Oriente es un animal lleno de significados; la mitología china describe su destreza cuando sube por el río Amarillo y atraviesa la Puerta del Dragón, por donde salta a la gran cascada y resurge en forma de dragón. En Japón se heredó esta relación del *koi* con el coraje y la perseverancia, y durante el Día del Niño se cuelgan banderas con su imagen.

El caballito de mar

La curiosa anatomía de estos pequeños peces (miden menos de 30 cm), le convierte en un animal acuático muy interesante, ya que su cabeza es similar a la de los caballos; sobre todo a las estilizaciones equinas usadas en el ajedrez. Su cuerpo termina en una cola prensil enrollada en espiral que usan para aferrarse a los tallos y plantas subacuáticas.

Su forma de nadar difiere de la de los demás peces porque lo hace manteniendo su cuerpo erecto e impulsándose con su aleta dorsal. Otro dato que llama la atención es que es el macho quien concibe los hijos.

Tras un interesante ritual de cortejo en el cual macho y hembra nadan juntos y en sincronía durante horas, la hembra deposita sus huevos maduros en la bolsa incubadora del macho y son fertilizados a medida que entran en la cavidad. Son nadadores lentos y poco activos, por ello simbolizan tranquilidad y sociabilidad.

Algunos mitos chinos y brasileños le adjudican poderes curativos y mágicos, asegurando que atraen la buena suerte.

En algunas culturas el caballito de mar está relacionado con la fidelidad. Es un diseño de tatuaje muy apreciado por las mujeres.

El delfín

Son seres simpáticos, ágiles, veloces y están considerados uno de los mamíferos más inteligentes. Son buenos cazadores, pero su vista y olfato carecen de la agudeza de otras especies. Tienen, en cambio, un sentido especial, la ecolocación, que consiste en orientarse y conocer el entorno emitiendo sonidos y guiándose por el rebote de sus ondas sonoras, que se producen al chocar contra obstáculos o presas.

Los delfines han tenido lugar en las mitologías y leyendas de diferentes culturas. Para los griegos, antes de convertirse en cetáceos, eran humanos; concretamente, los piratas que intentaron vender como esclavo al dios Dionisio sufrieron el castigo de verse obligados a vivir eternamente en el mar.

Hoy estos animales son entrenados para desarrollar peligrosas funciones en proyectos navales y militares, como son la desactivación de bombas y minas submarinas. El tatuaje del delfín simboliza la rapidez, la inteligencia y la confianza y conlleva un significado extra según la zona en la que se imprima. En los brazos, el trabajo manual ágil; en la nuca, la rapidez de pensamiento o estado de alerta; en los tobillos, la marcha rápida, etc.

Constituye un diseño especialmente buscado entre los que se preocupan por el ecosistema y también entre aquellos que toman decisiones con rapidez e inteligencia.

Reptiles

En la escala evolutiva los reptiles son anteriores a los mamíferos. Estos animales de sangre fría surgieron de la evolución de los anfibios y los que hoy se pueden ver son descendientes de los gigantescos reptiles que vivieron en el periodo Mesozoico.

Por lo general, tienen cuatro patas cortas o ninguna, lo que hace que deslicen su cuerpo, cubierto de placas o escamas, a una mínima distancia del suelo.

Entre los que aparecen con mayor frecuencia vinculados con el hombre cabe citar las serpientes, tortugas, lagartos, cocodrilos y camaleones. A su alrededor se ha creado un mundo simbólico rico y variado y son protagonistas de mitos, leyendas, cuentos y fábulas en todas las culturas del mundo.

Por lo general, el tatuaje de un reptil resulta muy llamativo, ya que ante la presencia o representación de estos animales, es difícil permanecer indiferente. Hay quienes les temen u odian al punto de negarse a pronunciar su nombre. Mientras que otros, por el contrario, les consideran excelentes mascotas y seres bellísimos, dotados de sabiduría y de gracia en sus movimientos cuando reptan para desplazarse.

Al ser animales terrestres muy poco evolucionados, difíciles de domesticar,

inútiles en lo que se refiere al consumo de su carne y, en algunas especies, peligrosísimos, dado el veneno que inoculan, es comprensible experimentar hacia ellos un rechazo instintivo; sin embargo, muchas culturas les han dotado de poderes mágicos y les han colocado en un lugar de honor entre las representaciones de sus deidades.

Los reptiles en general son representaciones de la fuerza, la unión a la tierra y del misterio que despierta todo lo desconocido. Por eso, se les ha dotado de poderes mágicos.

La serpiente

Una de las principales características de este animal netamente carnívoro es su forma de desplazarse a ras del suelo, ondulando su cuerpo y no emitiendo ningún sonido. En las especies venenosas o constrictoras esta capacidad resulta sumamente útil, ya que les permite acechar y capturar a sus víctimas tomándolas por sorpresa.

Su tamaño no está relacionado con la toxicidad de su veneno; hay culebras no venenosas que sobrepasan los 10 m, como las pitones, y pequeñas víboras como las coral, que solo miden unos 18 cm, cuya ponzoña es mortal. Entre las especies más peligrosas en lo que a toxicidad respecta, cabe mencionarse la cobra, la mamba y la víbora de coral.

Por sus características, las serpientes han sido especialmente apreciadas en algunas culturas, pero categóricamente repudiadas en otras. Los cristianos y mahometanos la relacionan con el demonio, partiendo del relato que se hace en el Génesis de la tentación de Eva. Incluso en este texto se muestra una clara enemistad con Dios ya que, según palabras bíblicas, Él la condena a arrastrarse y andar sobre su pecho. Por esta razón, algunas advocaciones de María representan a la Virgen pisando la cabeza de una serpiente.

Los antiguos egipcios consideraban en ella tanto sus aspectos positivos

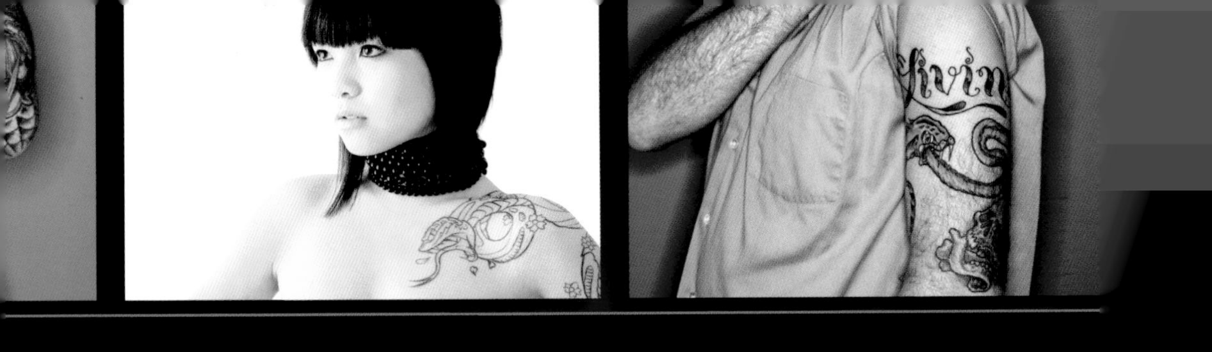

como los negativos; Uadyet (la cobra) era Señora del Cielo, símbolo del Sol y de las llamas del fuego. Era la diosa protectora del Bajo Egipto y del faraón y simbolizaba la fuerza del crecimiento y la fertilidad de la tierra y de las aguas. En contraposición a ella, la serpiente Apofis era la encarnación del mal que intentaba retener la barca de Ra (el Sol) y era imposible darle muerte porque aunque la decapitaran, resurgía de su cuerpo una cabeza nueva.

Para los griegos clásicos era la representación de divinidades terrenales, en relación a la fecundidad de la tierra, y tenía virtudes curativas, de lo que nació el símbolo de la medicina, la imagen de una serpiente enroscada en un bastón.

Otro de los simbolismos que comparte con los egipcios es el ouroboros, la serpiente que, formando un círculo, se come su propia cola. Tiene varios significados: el de infinitud, la expresión de que las cosas no desaparecen, sino que se transforman en ciclos de creación-destrucción, así como la unidad de lo material y lo espiritual. No obstante, esta cultura también la asoció con la muerte, e introdujo muchos mitos de ella de carácter nefasto, como el de la muerte de Eurídice y de los hijos de Apolo, así como también monstruos con anatomía de sierpe.

Las zonas que prefieren las mujeres para llevar este diseño son el tronco, el pecho y los hombros, es decir, puntos con connotaciones sensuales. Los hombres, les otorgan un carácter viril y se la tatúan en las muñecas, los brazos y el pecho.

La tortuga

Son los reptiles más longevos de tierra o del agua, cuya característica más distintiva es su caparazón. Se dice de ellas que llevan la casa a cuestas, de ahí su vínculo con las virtudes del hogar y, como también les protege de los peligros, es a la vez símbolo de protección.

El hecho de soportar constantemente un peso las asocia con la idea de fortaleza, tanto física como espiritual y la lentitud que les impone esa carga ha sido vista como ejemplo de persistencia y paciencia.

Las diferentes civilizaciones cuentan con una tradición mitológica positiva de las tortugas. Las orientales y americanas han convertido su anatomía en símbolo del soporte o cimiento de la tierra y del universo y su capacidad para recogerse bajo el caparazón es símbolo de la profunda sabiduría interior.

Uno de los diseños más comunes en los tatuajes de tortugas muestra al animal sosteniendo los cimientos del universo. Otros prefieren su sola imagen como símbolo de paciencia y talismán para atraer la buena suerte en todos los aspectos de la vida.

En la actualidad se han hecho populares las tortugas acuáticas que empezaron a tatuar los aborígenes de la Polinesia.

Lagartijas y lagartos

Debido a que tienen sangre fría y pasan muchas horas al sol, guardan una estrecha relación con las deidades solares y con la luz.

Durante la Edad Media se difundió la creencia de que, cuando los lagartos son viejos y pierden la vista, se asoman por una rendija, miran fijamente al Sol y la recuperan. Esta mítica capacidad, unida a la posibilidad de las lagartijas de desprenderse de su cola cuando son atacadas y a la muda anual de su piel ha permitido que simbolizaran la renovación y resurrección en múltiples aspectos. Los cristianos emplearon el símil del lagarto ciego con el del fiel que busca la luz de Cristo.

El tatuaje de una lagartija es gracioso porque parece que está trepando por el cuerpo. Se suelen tatuar lagartijas tribales, negras o de colores, y es habitual marcarla en el bajo vientre, el pecho, sobre el hombro o como brazalete.

Las lagartijas y los lagartos son portadores de buena suerte en muchas culturas de todo el mundo, por eso llevarlos tatuados en el cuerpo es una garantía de felicidad.

Insectos

Son los invertebrados más numerosos que existen sobre la Tierra y se les puede encontrar en todo tipo de hábitat, tanto terrestre como acuático. Se caracterizan por tener tres pares de patas, antenas y alas (algunos carecen de ellas) y el cuerpo dividido en tres secciones: cabeza, tórax y abdomen. Dadas las enormes diferencias entre unos y otros, han servido para representar una amplia variedad de sentimientos, pensamientos y situaciones.

En general y en lo que a símbolos se refiere, los insectos se han relacionado con mayor frecuencia al reducido mundo de las experiencias particulares, aunque también hay ejemplos, como los de las langostas, que han servido para representar todo aquello que resulte devastador.

El tamaño de un insecto, salvo contadísimas excepciones, jamás sobrepasa el palmo y eso les convierte, de cara al tatuaje, en un diseño muy apreciado, ya que se puede realizar en tamaño real.

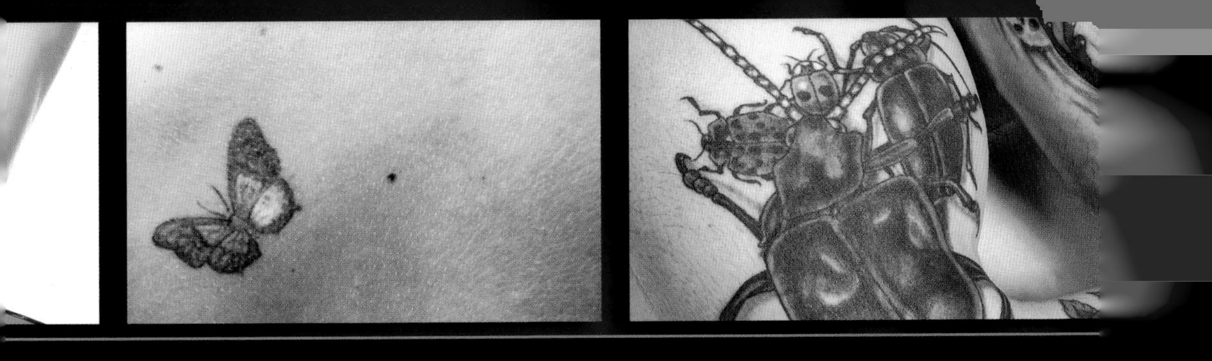

El escarabajo y el grillo

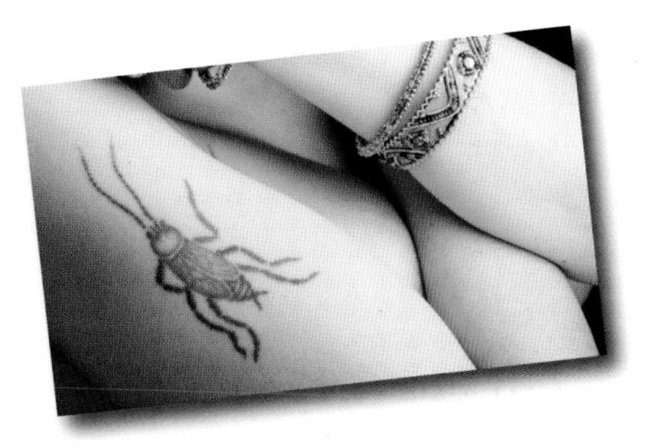

Las numerosas especies de escarabajos habitan prácticamente en cualquier tipo clima, ya que su cuerpo tiene una poderosa defensa: una coraza superficial de quitina que forma dos duros escudos que protegen las alas más finas que se encuentran debajo.

La simbología más conocida del escarabajo es la que le atribuyeron los egipcios en la época faraónica. Para ellos era un animal que ayudaba a las almas de los muertos a llegar al más allá. En las tumbas dejaban imágenes o tallas de escarabajos peloteros. Como este insecto pone sus huevos en las bolas de estiércol que hace, al ver surgir de ellas las crías, pensaban que el animal resurgía de ellas, de ahí que ayudará a alcanzar la vida eterna.

Las especies de escarabajo son numerosísimas y cuentan con muchas formas distintas. Las más habituales son las imágenes egipcias de escarabajos peloteros; los lucánidos o ciervos volantes que ostentan una mandíbula en forma de pinza; los bupréstidos, de colores llamativos; los crisomélidos, que muestran dibujos en su coraza quitinosa o las luciérnagas con luz. También son muy populares los diseños de arte tribal alrededor del animal, lo que resalta su sentido mágico a la vez que agranda la pieza.

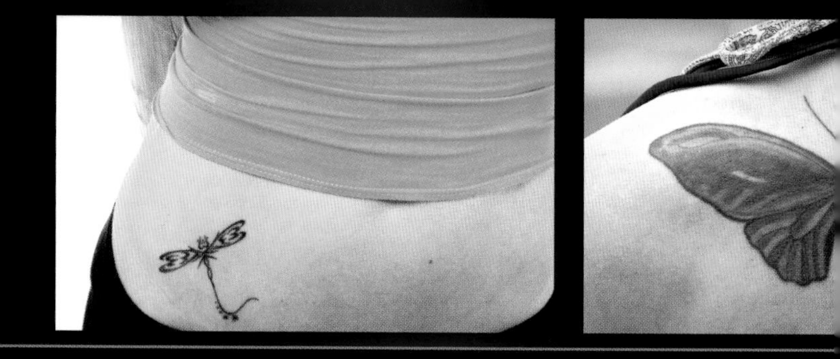

La libélula

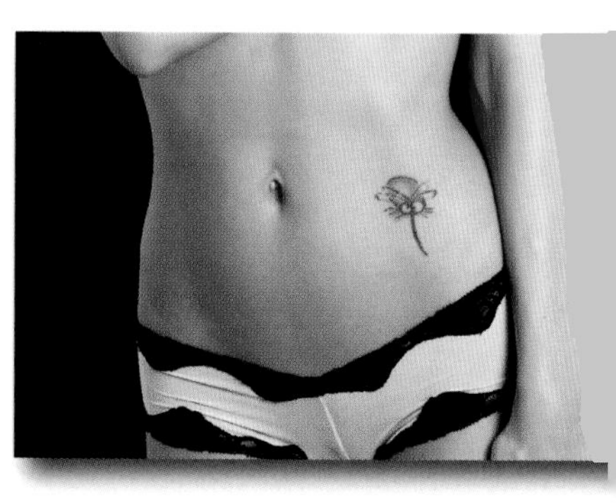

Es un insecto que alcanza grandes velocidades y que tiene la peculiaridad de poder volar hacia atrás o detenerse en el aire bruscamente. Son insectos carnívoros que tienen el sentido de la vista muy desarrollado. Habitan en lugares frondosos y húmedos y se le relacionan, junto con las hadas y otros seres fantásticos alados, con el mundo de la fantasía.

En algunas culturas se las ha mitificado tanto como seres bondadosos como infernales; en Italia, por ejemplo, existe la creencia popular de que el Diablo las envió para provocar catástrofes en la Tierra; los japoneses les atribuyeron el símbolo del éxito y los chinos, el de debilidad.

Su relación con el aire y el agua las vincula al simbolismo de estos elementos y, de esta relación, surge la que las emparenta con los espíritus y la fecundidad.

Los tatuajes de libélulas son populares entre las mujeres por su cercanía a la fantasía feérica y por su fragilidad. Como su color es versátil, es un tatuaje que permite muchas combinaciones llamativas.

Las partes del cuerpo en donde más se emplean diseños de libélulas son las pantorrillas y los pies, vinculando de este modo los andares con el vuelo de la libélula. En otras zonas más íntimas, con diseños más pequeños, se cargan de sensualidad.

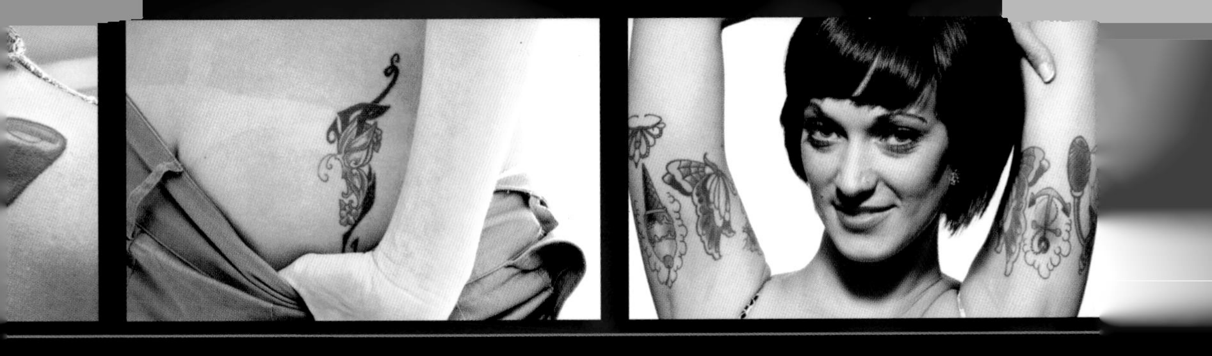

La mariposa

Puede decirse que entre las mariposas se encuentran los ejemplares más bellos y llamativos del mundo de los insectos. Su atributo más significativo es la metamorfosis que sufren desde el estado larvario hasta su conversión en insecto volador y eso las convierte en uno de los símbolos de transformación y evolución más populares. La mariposa adulta simboliza belleza y juventud, aunque se relaciona también con lo efímero dado su corto periodo de vida. También se vincula a la frivolidad, pues se dedica a ir en flor en flor.

Aparece en mitos y leyendas de reyes y dioses donde, casi siempre, representa al alma. Esta metáfora nace de la comparación del capullo con el cuerpo e, incluso, con la tumba, y su elevación hacia el cielo con la ascención del alma cuando el cuerpo muere. Un ejemplo claro de este símbolo es la representación de la diosa griega Psique con alas de mariposa.

Este insecto se puede tatuar en muchos tamaños y con diseños muy variados, pero lo que siempre prevalece son los colores que se le aplican.

Los tatuajes de mariposas son uno de los más elegidos por las mujeres, ya que es sinónimo de belleza. Suelen llevarlas con hermosas alas desplegadas.

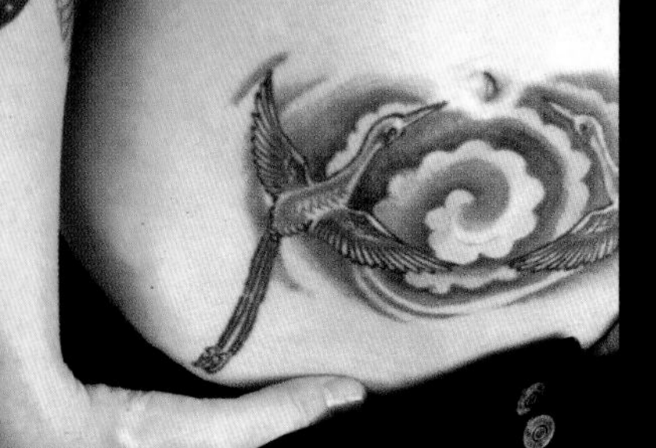

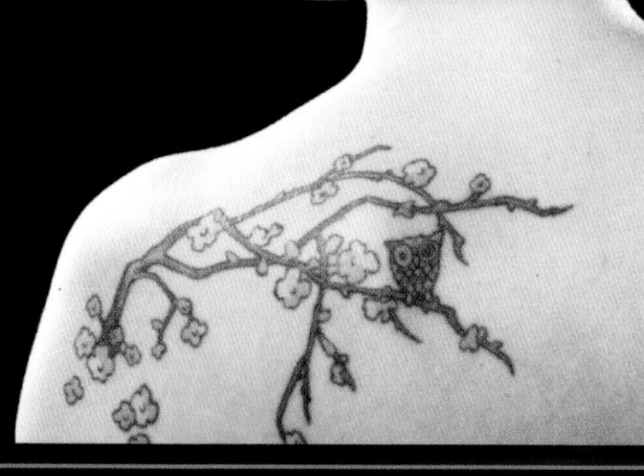

Aves

Las aves tienen varias características que las hacen únicas en el reino animal. Su cuerpo está recubierto de plumas y, a excepción del murciélago y de los insectos, son los únicos seres que pueden volar, aunque hay también aves corredoras como el avestruz que no lo hace en ningún momento de su vida. Su boca, en forma de pico, adopta características no solo diferentes, sino además, curiosas, como es el caso del tucán o del pelícano. El tipo de alimentación depende en gran medida del ambiente en el que se encuentran: peces, granos, frutos, insectos, néctar de las flores.

Entre las que más destacan por su belleza o contacto con el hombre se pueden citar flamencos, palomas, colibríes, garzas, grullas, pingüinos, avestruces, pavos reales, gaviotas y loros.

En cuanto a su significado, por ejemplo, el pato representa sociabilidad, compañerismo e, incluso, heroísmo y paciencia, atributos que le concedieron los aborígenes de América del Norte. Por su parte el búho, se asocia con la suerte o sabiduría, pues ve en la oscuridad y, como el sabio, capta verdades ocultas. De ahí que este animal, así como la lechuza sean el símbolo de la filosofía.

El pavo real

Es un ave originaria de la India cuya carne fue considerada el alimento de los valientes, reyes y amantes. Sin embargo, su rasgo más distintivo es un hermoso abanico de plumas que el animal despliega, durante el cortejo. Estas plumas son policromadas y tienen un motivo central cerca de su extremo similar a un ojo, lo cual ha inspirado varios mitos y leyendas.

La superstición egipcia y greco latina contaba que el pavo real era un ave de mal augurio; se aseguraba que las plumas de su abanico causaban «mal de ojo», creencia que aún prevalece en algunas zonas europeas. Sin embargo, como a muchos otros animales también se le han otorgado características positivas.

Su capacidad de ser un animal inmune al veneno de las serpientes hizo que en India representaran al dios Krishna rodeado de sus plumas. En China se creía que su mirada ayudaba a las mujeres a quedarse embarazadas y aún hoy es un poderoso símbolo de belleza.

En relación con el tatuaje cabe señalar que su significado suele estar orientado a la ostentación o a la metáfora de los motivos de sus plumas como ojos que todo lo ven y un patentado símbolo positivo.

El águila

Su carácter audaz, su vista aguda, sus fuertes garras y las sorprendentes técnicas de vuelo que utiliza la han llevado a la cumbre de las aves rapaces.

El águila es un ave que desde tiempos remotos ha tenido un importante lugar en el conjunto de los símbolos empleados por reyes y emperadores. La mitología greco romana significó con ella al rey de los dioses, Zeus o Júpiter, y en la egipcia se identificaba con el dios supremo Horus. Ambas relaciones surgen por el vínculo del ave con el Sol y, especialmente, con sus rayos que caen a tierra como el águila lo hace en picado para cazar sus presas.

Por sus atributos de fuerza y valentía, constituyó parte de los emblemas del ejército del Imperio Romano y de ahí deriva su uso en la heráldica. Se pueden observar águilas en escudos o banderas de diferentes naciones, como en la americana y la mexicana, simbolizando tanto la libertad como el poder.

Hay tatuajes de águila de todos los tamaños; los más pequeños tienden a presentarse

El águila es considerada en la mayoría de las culturas como el ave más poderosa debido a su fuerza y su porte majestuoso.

perfilados sin muchos detalles, tipo tribales, y los medianos o grandes se dibujan detalladamente y a color.

Las zonas que mejor recogen los diseños grandes son la espalda y el pecho; es decir, las superficies planas y anchas. Y en cuanto a los tatuajes más pequeños, son populares las que se disponen sobre el omóplato y en la parte del interior del brazo.

El significado de la pieza es aquel que le quiera otorgar quien lo lleva; puede tratarse de un símbolo divino, de nacionalismo, libertad, o representar cualquier otra idea que le asocie el usuario.

Ejemplos de simbología del águila es su clara asociación con algunas divinidades, tanto en las culturas occidentales (aparecía en los estandartes griegos) como en las orientales (es asociada con el dios hindú Visnú y con los emperadores y guerreros de la antigua China).

Pájaros

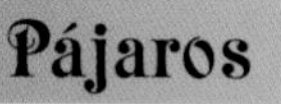

Son las aves más pequeñas y abundantes del planeta y por su capacidad para volar constituyen el símbolo más directo de libertad y elevación del espíritu.

Otras de sus características que se tienen en cuenta en el terreno de la simbología es el carácter diurno de la mayoría de ellas; suelen despertarse con el sol y revolotear ruidosamente en el atardecer, en busca del nido, para recogerse.

En cuanto al diseño, son tradicionales los tatuajes de GOLONDRINAS y fueron los marineros quienes comenzaron a tatuarse una por cada 5.000 millas navegadas. También acostumbraban a llevarlas junto a la imagen de un arma blanca en caso de que algún compañero hubiera fallecido durante el viaje. Esta relación de la golondrina con la profesión naval parece provenir de la resistencia de vuelo de estas aves sobre el mar y del hecho de que acostumbren a revolotear sobre los barcos una vez que llegan a puerto.

En la segunda mitad del siglo XX se extendió la costumbre de realizarse el

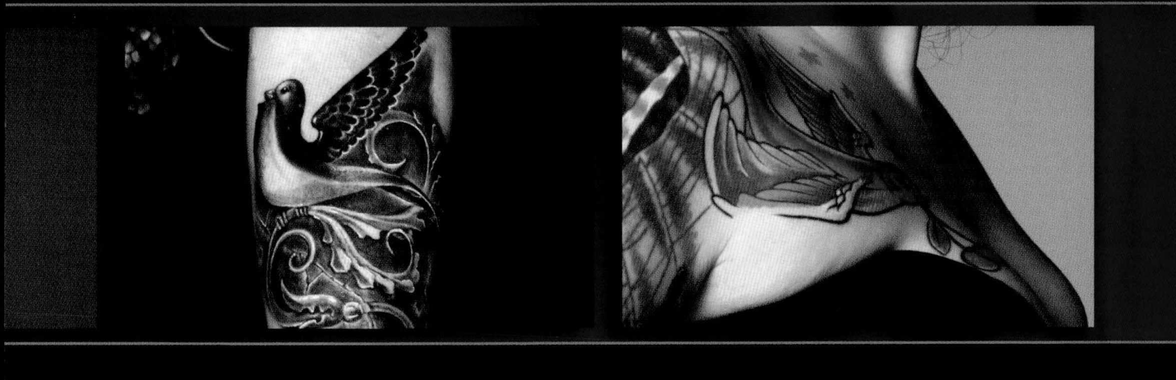

tatuaje de dos golondrinas tras finalizar un viaje por mar. Los diseños empleados entonces forman parte del catálogo de dibujos retro.

Las golondrinas, en general, representan tanto ideas buenas como nefastas en diferentes mitos y en el folclore de todo el mundo. En China significan perspicacia ante el peligro y florecimiento; en Japón, infidelidad y, antiguamente, augurio de muerte o relación con las almas de los difuntos.

Otros pájaros frecuentes en los estudios de los tatuadores son las aves tropicales, los CARPINTEROS, los CUERVOS y las GAVIOTAS. Un detalle singular es que se considera que si el animal tiene las alas extendidas representa sus aspectos positivos, pero si se dibujan con las alas cerradas, expresan negatividad o tristeza.

Los pájaros suelen representarse con muchos colores y las alas extendidas en clara relación a los aspectos positivos que ofrece la vida.

Animales domésticos

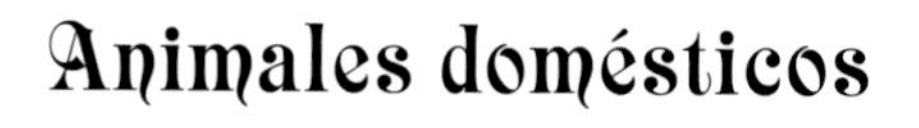

A diferencia de los salvajes, estos animales se han adaptado para vivir junto al hombre estableciéndose diferentes tipos de relaciones domésticas. Algunos son consideradas mascotas, animales de compañía, en tanto que otros son valorados por su fuerza de trabajo o por servir como alimento.

El caballo

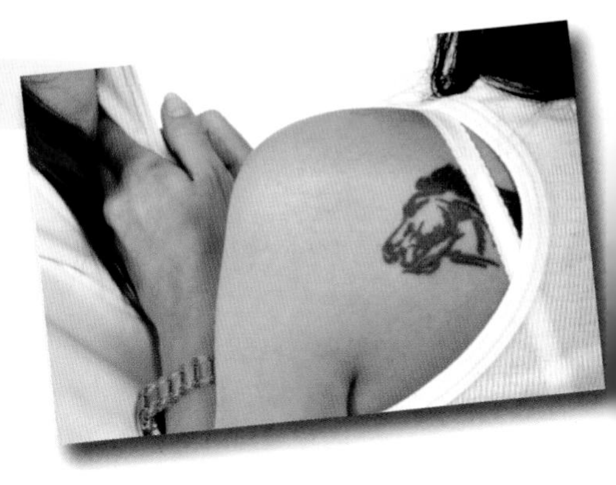

Al principio sirvió al hombre de alimento y, más tarde, como fuerza de transporte o de carga. Durante milenios este animal ha sido relacionado con la milicia y la nobleza, ya que solo los poderosos y los ejércitos podían contar con ellos. Más tarde se popularizaron como elemento esencial de los pioneros del Oeste americano y, hoy en día, también se asocia con el deporte y las apuestas.

Se considera que el caballo es un animal noble y valiente y también se le relaciona con la libertad (sobre todo en estado salvaje) y la pasión.

Los diseños para su tatuaje presentan mucho juego de sombras y luces, pero necesitan superficies lisas, como los brazos, la espalda y las piernas, para que no se pierda el efecto realista. No obstante, también los hay de líneas tribales que se pueden hacer en cualquier zona sin perder su calidad.

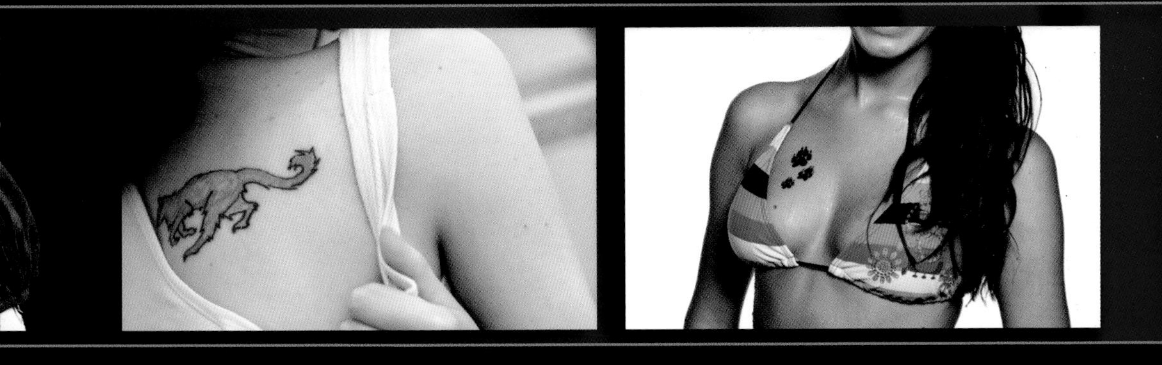

El gato

De todos los felinos el gato es el único que se ha podido domesticar lo suficiente como para formar parte, de muchos hogares convirtiéndose en una de las mascotas más apreciadas. Es un animal muy versátil ya que, a diferencia de otros animales que han podido adaptarse a la vida junto al hombre desapareciendo como especie salvaje, siguen encontrándose muchos ejemplares que jamás han salido de sus entornos naturales.

Una de sus características principales es la independencia con respecto al hombre; actitud completamente opuesta a la de los cánidos. Como todos los felinos, tienen una elasticidad sorprendente que confiere elegancia y plasticidad a sus movimientos, se mueven silenciosamente y tienen un equilibrio excepcional.

Los tatuajes de estos animales ofrecen una gran versatilidad; se puede tatuar el animal entero o, si se desea, alguna parte de su cuerpo.

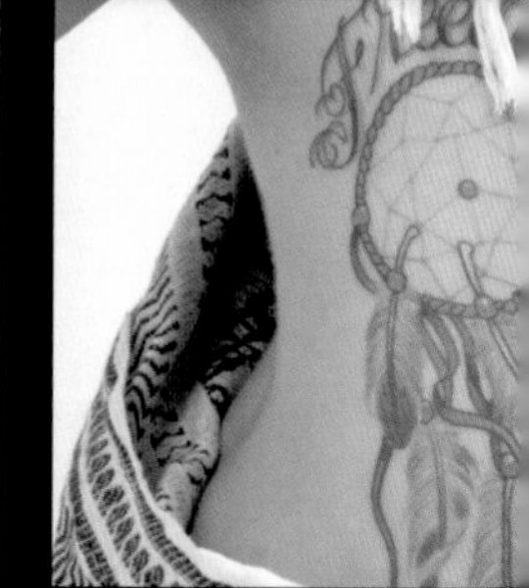

Pasiones humanas

Una de las características de los tatuajes es que expresan los sentimientos íntimos de quien los lleva. En el hombre anidan diferentes pasiones: amor, miedo, soledad, libertad, ansias de poder, vida o muerte, y todas ellas son expresadas de múltiples maneras en los estudios de tatuaje. Además, dentro de las grandes pasiones humanas cabría englobar también el sentimiento religioso, que es algo muy variable según las diferentes culturas.

Llevar grabada en la piel una pieza que denote alegría o tristeza, miedo o esperanza, es una manera de remarcar un sentimiento profundo y permanente que necesita expresarse y que, en ocasiones, no encuentra las palabras adecuadas para hacerlo.

Los diseños de estas pasiones suelen ser objetos que están relacionados con ellas de manera universal. Sin embargo, las distintas culturas pueden vincular tales sentimientos de manera diferente e, incluso, opuesta. Para la mayoría de la población occidental, por ejemplo, la muerte está relacionada con la tristeza y el miedo, pero en Oriente, en cambio, tiene más relación con la alegría y la esperanza.

Por todo ello, en última instancia, el significado de un tatuaje es el valor que el portador le quiera conferir.

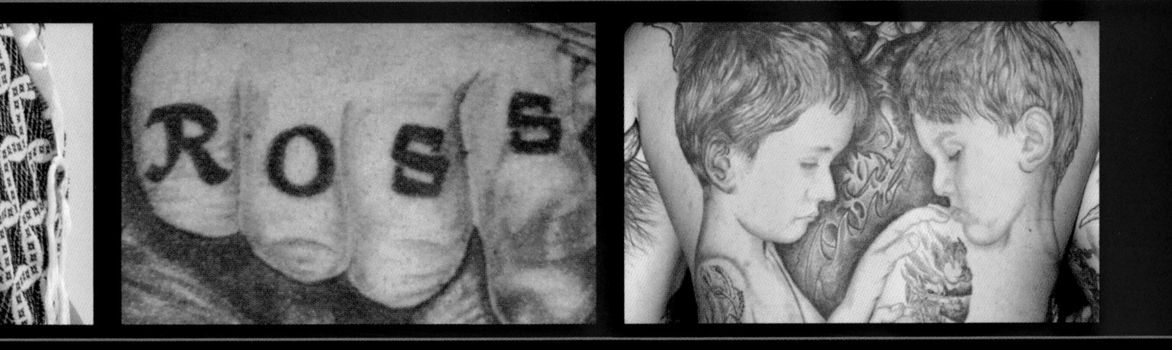

Libertad y superación

El aire, el cielo, es un medio vedado naturalmente a los hombres, de ahí que los deseos de conquista, de ascensión y de superación se expresen con un tatuaje como el de las alas.

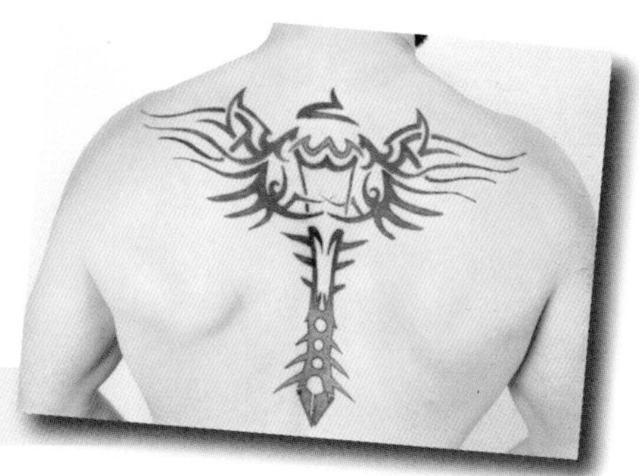

Las alas

La idea del hombre alado constituye metáforas de transcendencia y elevación espiritual expresada claramente en los ángeles que habitan en el cielo e, incluso, en los ángeles caídos que han perdido la gracia y están en el infierno. Todas estas entidades se transportan gracias a sus alas.

También en la mitología muchos seres que no pertenecen al reino de las aves han sido dotados de alas para remarcar su carácter mágico: dragones, hadas y

Las alas no siempre representan un ángel, a veces son de hada, de pájaros, de mariposa, con corazones u otros motivos.

caballos (Pegaso) son ejemplos de ello. En general, las alas son símbolo de libertad, ya que se considera que los pájaros, al estar en un medio inalcanzable para los depredadores, son libres. Por ser típicas en animales que viven en las alturas, se vinculan asimismo a las divinidades, ya que despegan a sus poseedores del plano terrestre, elevándolo hacia los cielos.

Los tatuajes de alas denotan fantasía si pertenecen a personajes fantásticos; si son de ángel, en cambio, infieren interés en los textos espirituales. Hay una fuerte tendencia a tatuarlas junto a motocicletas, ya que en el mundo del motor simbolizan independencia y velocidad. Las zonas favoritas para estos tatuajes son la espalda, tal y como se ven en los seres alados; la parte alta de los brazos, porque es un lugar que da fuerza a los motivos, y los tobillos o los pies, como si pudieran transformar el caminar en vuelo.

Los tatuajes de las alas tribales, más esquematizadas y menos evidentes, pero que igualmente simbolizan la libertad, son muy populares.

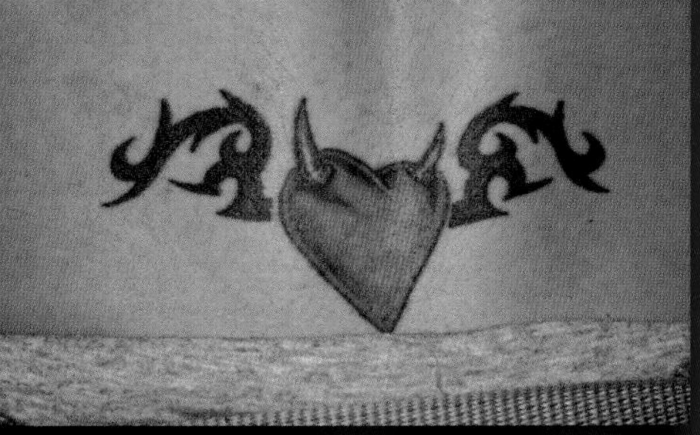

Amor

Este sentimiento, tanto en su forma racional como irracional, nace de una intensa emoción de afecto y se acepta como el más puro e incondicional; es aquel que se da sin esperar nada a cambio.

Aunque a la hora de hablar de amor casi siempre se sobreentienda que se trata del amor de pareja, este sentimiento no se limita a aquellas personas que se han elegido para hacer una vida en común; también expresa el profundo sentimiento filial, paternal, romántico, platónico, universal e, incluso, el que se prodiga a los animales o a las deidades.

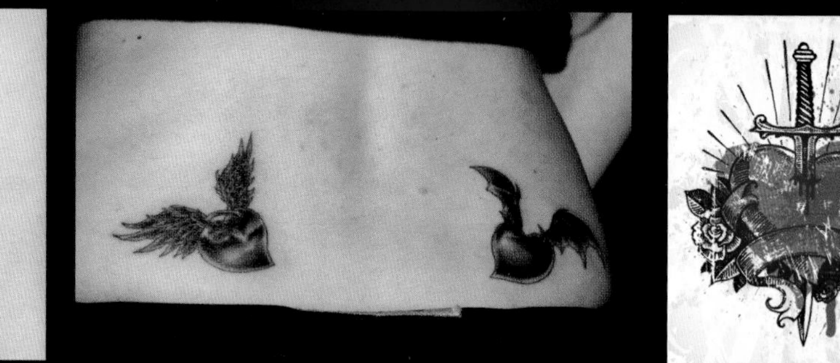

El corazón

Como el amor es un concepto abstracto, a la hora de representarlo se emplean imágenes, siendo una estilización del corazón la que ha sido aceptada universalmente. La razón es que antiguamente era este órgano y no el cerebro el que se consideraba centro del pensamiento y las emociones.

Entre los diseños para tatuaje, los más populares son el corazón alado, que significa libertad en el amor; el corazón junto a un nombre dentro de una banda, que adquirió gran popularidad entre los soldados de la Segunda Guerra Mundial que, estando lejos de su hogar, sentían gracias a él la compañía de la persona amada; el dios griego del amor, Cupido, que disparando flechas a un corazón simboliza el enamoramiento o encantamiento; y el corazón rodeado de espinas y con una llama que expresa el Sagrado Corazón de Jesús. No obstante también se hacen

El corazón atravesado por una flecha es símbolo de enamoramiento; atravesado por un puñal puede simbolizar traición o celos. Los clásicos corazones pueden renovarse con diseños más o menos complejos, convirtiéndose en tatuajes muy interesantes.

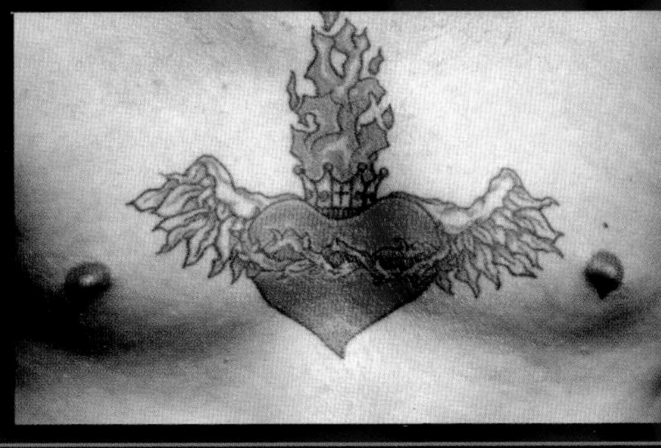

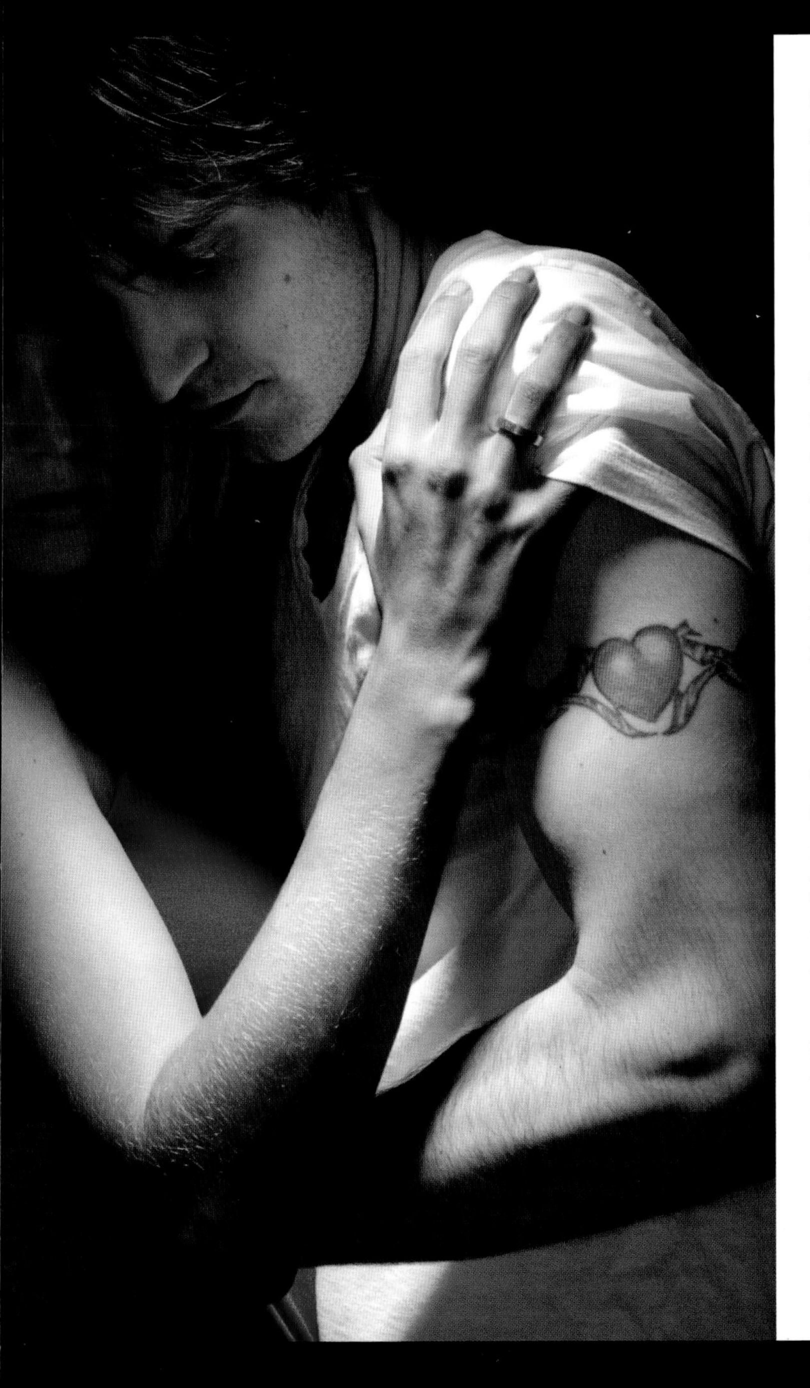

tatuajes de corazones simples, normalmente agrupando varios en el diseño.

Pero el amor tiene otra cara no tan amable: la del desamor. Los diseños de corazones negros simbolizan dolor, y un corazón partido, la ruptura de una relación.

El color para el corazón amoroso suele ser el rojo, que simboliza la pasión. Para expresar el contrario se emplean colores oscuros o, sencillamente, el negro. Los corazones blancos han sido tomados por los enfermeros como símbolo de su profesión.

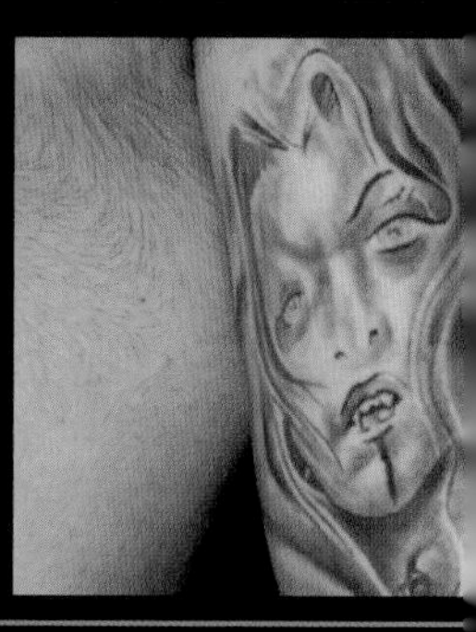

MIEDO: LOS PERSONAJES DEL TERROR

Los animales y los humanos tienen un mecanismo de supervivencia, el miedo, que actúa cuando se encuentran en situaciones de peligro, preparando su cuerpo para la huida y haciendo reaccionar su mente y su organismo de manera espectacular. Como el hombre es un ser racional, extiende esas vivencias y emociones, que en su origen son instintivas, hacia situaciones irreales o imaginarias por las que, en ocasiones, se siente atraído (como es el caso de las películas de terror).

El miedo ha inspirado a millones de artistas, sobre todo desde la época romántica del siglo XIX, donde se escribieron muchos relatos de terror clásicos. Los apasionados de este género disfrutan de la emoción que les provocan las situaciones horribles descritas, ya sea

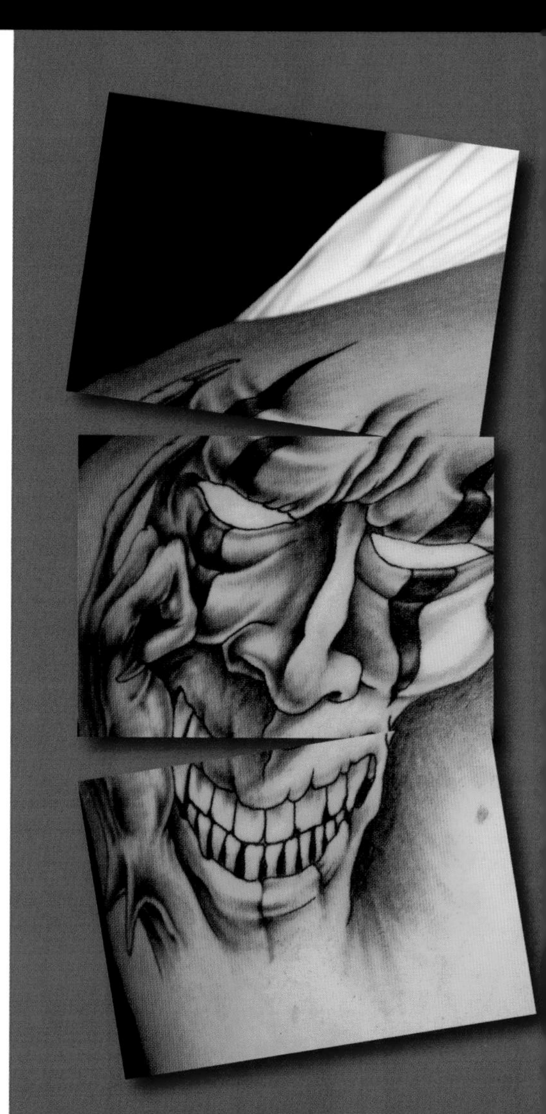

El horror y el mundo tenebroso de las pesadillas se pueden tatuar precisamente para exorcizarlo y alejar el miedo de nuestra vida.

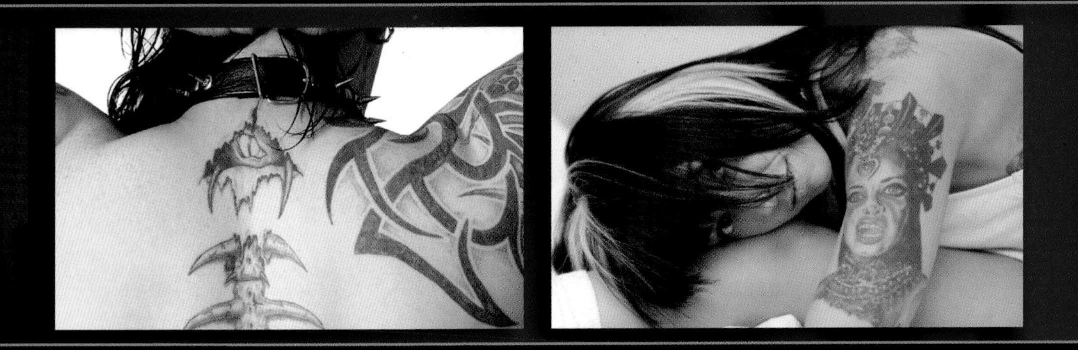

en imágenes o palabras, hasta el punto de que muchos deciden tatuarse diseños lúgubres y extremos que las recuerden.

Las brujas, los zombis, los cementerios, los gatos negros o personajes de películas de terror tienden a tatuarse con imágenes realistas en cualquier parte del cuerpo. La tinta negra es la más utilizada en estos casos, pues es el color de la oscuridad y de las tinieblas. Si se usan colores en la pieza, esta se convierte en un tatuaje más alegre, aunque a veces se pinta con tonos ácidos, en verde o amarillo, que tradicionalmente se vinculan a las fuerzas demoníacas.

La muerte

Se dice que de todas las cosas que le puedan suceder a uno en la vida solamente hay una segura: la muerte. Desde el nacimiento hasta el momento de abandonar este mundo, el hombre sufre una lenta evolución durante años; un proceso de degeneración que termina cuando su cuerpo se debilita y deja de funcionar. Este proceso también puede ser interrumpido drásticamente por múltiples causas.

DEATH

Las diferentes culturas entienden la muerte de diversas maneras; a grandes rasgos, para unos es un suceso trágico y para otros significa la liberación del componente espiritual del hombre. Las religiones hablan de una vida del alma tras la muerte, describiéndola como más real y significativa que la vida terrenal, pero el apego a lo único que conocemos, a nosotros mismos, a nuestra familia o pertenencias, ha hecho de la muerte un suceso indeseable para casi todos los hombres.

Los tatuajes con motivos de muerte muestran aquellos objetos con los que se la ha relacionado a través de los siglos: guadañas, tumbas, cruces, estatuas de ángeles, instrumentos de tortura, esqueletos y cráneos. Todos estos y más llevan consigo el mensaje popular *Memento mori*, «Recuerda que morirás», como aceptación del destino y constante recuerdo de que la vida terrenal no es eterna.

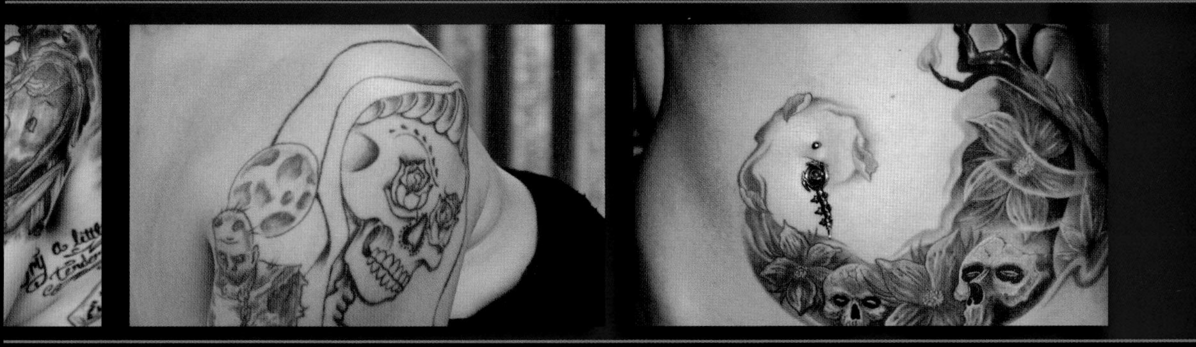

La calavera

Una de las imágenes alegóricas de la muerte es la calavera, pieza de los restos óseos del cráneo, especialmente el humano, cuando este muere y su carne desaparece. Por su forma compleja en comparación con los demás huesos, resulta más fascinante que las de otros restos óseos; al mirarla se observa un cráneo liso donde antes había pelo, dos fosas orbitales en el lugar en el que estaban los ojos, el hueso vómer o hueco que sustituye a la nariz, los huesos cigomáticos sobre los que se asentaban los pómulos y los maxilares, a menudo con los dientes aún implantados, carentes de labios y de barbilla.

Mirar una calavera es como tener ante los propios ojos el futuro más o menos inminente que a muchos aterra y a otros encanta. El uso de la calavera en mitología, leyendas y cuentos de terror es abundante, utilizándose a menudo en compañía de dioses, demonios, seres malignos y toda clase de personajes vinculados con ella. Como son el mejor representante de la muerte, su imagen se ha empleado para señalar productos venenosos o tóxicos, sobre todo mostrándola con dos tibias cruzadas, y ha sido empleada como bandera significativa de la piratería.

En el plano del tatuaje, la calavera es muy versátil, pese a lo simple, concreta y directa que pueda parecer en un principio. Se puede tatuar sola o hacer un osario entero. Son populares las ornamentadas con motivos mexicanos y retro, con colmillos o cuernos, o sobre un esqueleto entero vestido de negro con una guadaña. También se han popularizado las de estilo vaquero e, incluso, las calaveras de vaca. El tamaño del diseño rara vez es el real; suele emplearse una escala menor, ya que no pierde realismo si se hace a tamaño pequeño.

El demonio

Los demonios son seres malévolos que tratan de dirigir el mundo hacia su perdición; son peligrosos y, sobre todo, inmorales. Ya en las culturas más primitivas se hablaba de la existencia de entidades malignas que podían materializarse e influir sobre los hombres y su destino, pero es con la difusión y extensión del catolicismo donde esta imagen aparece con más fuerza.

Son creados en contraposición con los ángeles, espíritus puros y buenos, y guardan una actitud de constante desafío ante la autoridad del Creador, dedicándose a perder almas, incitar al hombre a pecar y a ofender a Dios. Desde este punto de vista, es comprensible que ya en los primeros textos que hicieran referencia a los demonios, se les haya atribuido todos los males. Con un poder inferior a las deidades, pero superior al de los hombres, han cometido toda serie de maldades, incluida la posesión del cuerpo y del alma humana.

Su poder no solo ha sido temido o rechazado sino, en muchos casos, admirado como fuerza equilibradora del bien; por lo tanto a lo largo de la historia ha tenido también sus seguidores; habitualmente personas cuya vanidad les ha hecho creer que la poderosa fuerza del mal les ayudaría a conseguir sus propósitos.

Los tatuajes de demonios suelen ajustarse a la forma que se les da en los textos sagrados que los describen: de cuerpo rojo, cara maléfica y con cuernos, cola acabada con una punta de flecha, piernas de cabra y alas draconianas.

El tatuaje japonés cuenta con otra imaginería, pues existen en su cultura muchas historias diferentes sobre ellos. Como ejemplos, basten citar la *Hannya*, que en realidad es una mujer poseída por la ira; o el *Oni*, un ogro que devora humanos.

Los lugares favoritos para tatuarse demonios son los brazos y el pecho, puesto que no se suele tratar de una pieza demasiado grande y que, además, estas zonas dan fuerza al dibujo. Si se busca darle un toque sensual, se tatúan en el bajo vientre o cualquier zona íntima como expresión de potencia o ardor sexual.

La soledad

El hombre es un animal gregario por naturaleza, pero llega a este mundo solo y se va de la misma manera. El sentimiento de soledad surge con el aislamiento; cuando, en contra de todo deseo, se siente que no se está formando parte de algo, de no estar incluido en proyectos llevados a cabo por otras personas. Aun así, todo lo que se aprende, se asimila individualmente, ya que en realidad la vida es un viaje en solitario.

Hay momentos de soledad que se escogen, se disfrutan y resultan enormemente productivos, y otros que vienen impuestos y producen un intenso dolor. La soledad como destino, real o imaginario, produce un profundo desasosiego, ya que es un sentimiento difícil de asimilar, que profundiza aún más en la vulnerabilidad a la que estamos expuestos, la falta de auxilio en caso de necesidad, el sentimiento de incomprensión y de aislamiento.

Los diseños para tatuaje que representan mejor la soledad suelen ser imágenes de ermitaños o anacoretas: un hombre o mujer sentado con las manos en la cabeza. También puede expresarse mediante hadas u otras criaturas solitarias como, por ejemplo, el ave Fénix, que ya se ha visto en el apartado de criaturas míticas.

La soledad del ave Fénix no es un sentimiento negativo: ella sola logra resurgir de sus propias cenizas.

La religión

La religión es el conjunto de creencias y dogmas acerca de la divinidad, así como de normas morales. Podría definirse como la ciencia del espíritu y a menudo se apoya en textos o libros considerados sagrados e inspirados por uno o más dioses.

A grandes rasgos, explica el origen del universo y su funcionamiento, además de qué necesita hacer el hombre para evitar su sufrimiento y alcanzar estados elevados de la mente y el espíritu.

Muchas personas desean mostrar sus sentimientos religiosos como parte importante de su vida y los autoafirman tatuándoselos en la piel.

Para los millones de creyentes de las diversas religiones que hay en el mundo, los dibujos y objetos que simbolizan aspectos de las mismas, como es la cruz para el catolicismo, son tan importantes como los mismos textos sagrados, ya que les ayudan a no apartarse de su camino espiritual a la vez que les identifican como miembros de una misma comunidad.

En la historia del tatuaje se puede observar que el hecho de marcarse la piel formaba parte de los ritos religiosos de diferentes tribus. En Sudamérica, por ejemplo, se tatuaban imágenes de dioses y los indios norteamericanos llevaban diseños de tótems.

Tras la crucifixión de Jesús y hasta que el emperador romano Constantino prohibiera la práctica del tatuaje, los cristianos se marcaban una cruz en la muñeca a fin de reconocerse entre sí y aún hoy, en Tailandia, en los monasterios y templos budistas, los mismos monjes inscriben en la piel de los creyentes símbolos sagrados llamados *sak yant*.

Ya hemos vistos que las alas angélicas son un símbolo religioso, al igual que la cruz, el pez o los panes.

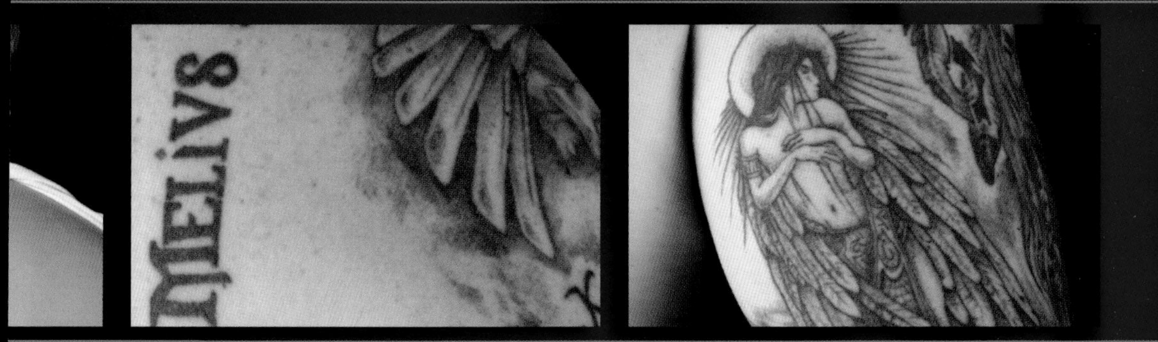

Los ángeles

Estos seres puros, alados y brillantes llevan el mensaje de Dios a los hombres a la vez que les protegen del mal. Sus nombres aparecen en los textos de las tres creencias monoteístas más importantes: la hebrea, la cristiana y la musulmana, mostrando el contacto que han tenido con el hombre. Popularmente, son muchos los que creen que, tras la muerte, si se es merecedor de la gloria eterna, se sube al cielo y se adquiere un par de alas, convirtiéndose en ángel.

Su aspecto hermoso y su carácter de protección y espiritualidad los han convertido en un diseño popular en las salas de tatuaje. Por lo general no se suelen colorear, sino que el tatuador trabaja con sombras negras que aportan relieve a la pieza. Los lugares preferidos para llevarlos son el torso y la espalda.

El ángel puede aparecer de cuerpo entero o simplificado en sus alas. La espada de San Miguel Arcángel simboliza el triunfo del bien sobre el demonio.

Dios

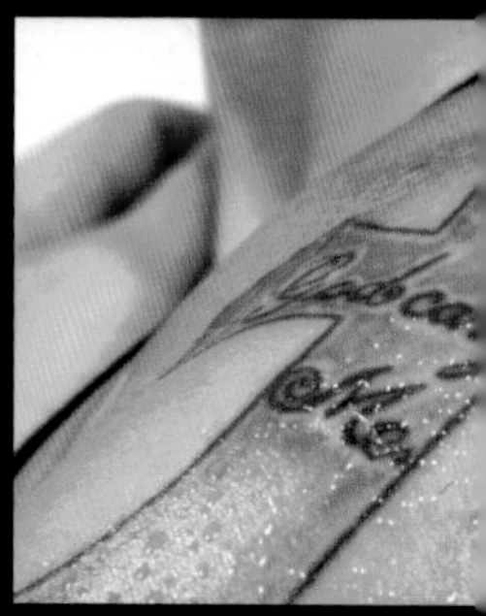

Para las religiones monoteístas el Creador del universo es Dios; el ser supremo todopoderoso, omnipotente y bienaventurado que, con su infinita justicia, premia a los buenos y castiga a los malvados.

Como es un ser espiritual, se le representa por medio de símbolos que aluden a sus características y virtudes o bien, en el caso de los cristianos, con la figura de Jesús, Su Hijo hecho hombre. Una de las representaciones más habituales es la de dos letras griegas, alfa y omega, que son la primera y la última del alfabeto. Con ellas se señala al Creador como Principio y Fin de todas las cosas.

También se simboliza la divinidad por medio de un triángulo luminoso con un ojo en el centro. El triángulo representa la Santísima Trinidad, las tres formas en que Dios se ha manifestado: Padre, Hijo y Espíritu Santo, a la vez que es sinónimo de luz. En conjunto, es un símbolo de la omnipotencia, omniciencia y omnipresencia divinas.

Pero la imagen más habitual en los tatuajes posiblemente sea la representación del rostro de Jesús, habitualmente con su corona de espinas recordando el sacrificio de su muerte para la salvación de los hombres.

En las religiones monoteístas hay maneras de representar al Dios omnipotente, como ocurre en el catolicismo con el triángulo con un ojo en medio o el rostro de Jesucristo.

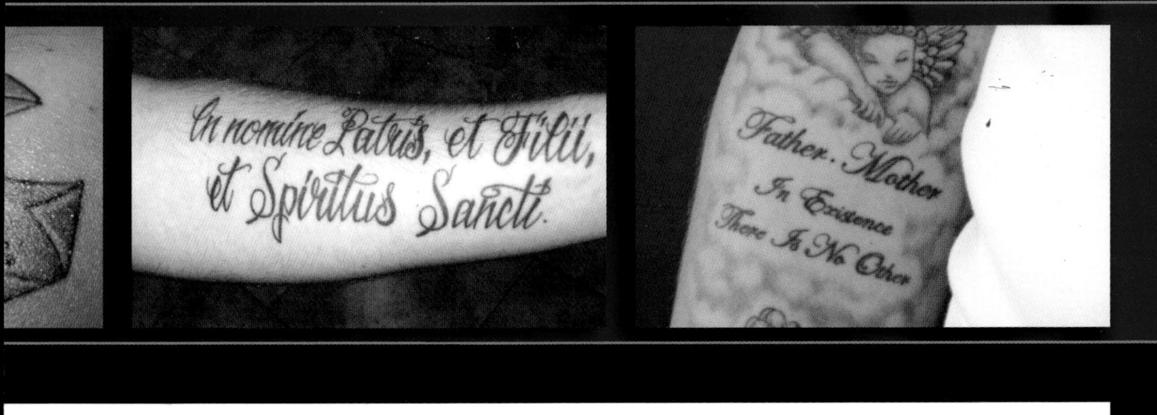

Textos sagrados

Los textos bíblicos, coránicos o talmúdicos nombran palabras que se consideran sagradas, que tienen un poder especial, cuyo uso está restringido a situaciones que se envuelvan en un carácter religioso, ya que de lo contrario pronunciarlas sería un acto de blasfemia.

Entre ellas están el nombre de Dios, Yahvé, en sus múltiples variantes (en hebreo YHWH), las iniciales ICHTHYS, (Iesous Christos Theou Yios Soter, «Jesús Cristo Dios Hijo Salvador»), que como palabra significa «pez» en griego clásico; *Adonay*, en hebreo «Señor»; *Agios*, en griego «Santo»; *Kirie*, en griego «Señor»; *In Nomine Patris Et Filii Et Spiritus Sancti*; y muchas otras más frases y palabras extraídas de los primeros textos sagrados.

Como tatuaje, las palabras sagradas son una alternativa al diseño de dibujos de las imágenes religiosas y tienen un reconocimiento universal por todos los creyentes. Son vocablos habitualmente hebreos o griegos, lo que ofrece una tipografía más llamativa.

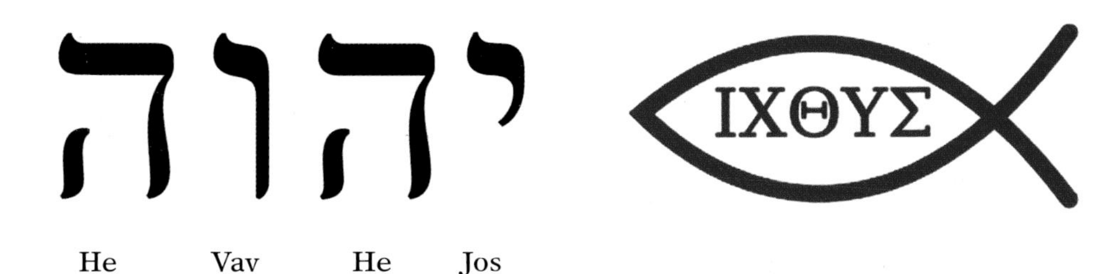

In Nomine Patris Et Filli Et Spiritus Sancti

El rosario

El rosario (del latín *Rosarium* que significa «rosal») es un tradicional rezo católico que conmemora los misterios de la vida de Jesús y de la Virgen María. Para llevarlo a cabo se emplea una sarta de cuentas que indican qué tipo de oración ha de hacerse en cada momento, rematadas por una cruz.

Sin embargo, el uso de estas cuentas ensartadas con fines religiosos es anterior a su empleo por parte de los católicos, ya que el utensilio es originario de la India. Su antigüedad se remonta a miles de años; allí recibe el nombre de *japa mala* y tiene 108 cuentas que se van pasando entre los dedos a medida que se recitan mantras.

Los países de mayoría musulmana cuentan también con una especie de collar llamado *tasbih* o *masbaha* y todo parece indicar que su uso proviene de la India, siendo Irán el primer país musulmán en adoptar su empleo.

Los tatuajes de rosarios expresan una tendencia la religiosa personal y son una alternativa al tatuaje simple de la cruz. El diseño preferido es el de estilo realista y se suele dibujar alrededor del cuello, la muñeca o el tobillo, aunque superficies alargadas como los brazos, piernas, torso y espalda cobijan bien la pieza.

El tatuaje del rosario más habitual es el que se hace en el tobillo, dejando que el remate de la cruz caiga sobre el empeine del pie.

La Virgen

María, con sus cualidades de bondad, pureza y fortaleza, es la Madre de Dios y todos los católicos se consideran también sus hijos. A lo largo de la historia, mediante la intervención de los videntes que han presenciado sus apariciones, ha adoptado diversas formas y ropajes según el momento de su vida en el que se haya hecho énfasis.

Así, hay imágenes maternales en las que está con Jesús Niño; otras llorando, con expresión de infinito dolor ante los pecados del mundo; o triunfante en su victoria frente a la demoníaca serpiente.

El tatuaje de la Virgen permite tamaños medianos y grandes, por lo que se pueden realizar en zonas del cuerpo lo suficientemete amplias. El trazo empleado suele ser lo más realista posible y se tiende a preferir las piezas en color para resaltar sus característicos mantos azules y rojos.

La Virgen de Guadalupe, muy venerada en México, es una de las advocaciones marianas que más se tatúan, probablemente por la espectacularidad de su manto estrellado y el haz luminoso que la rodea.

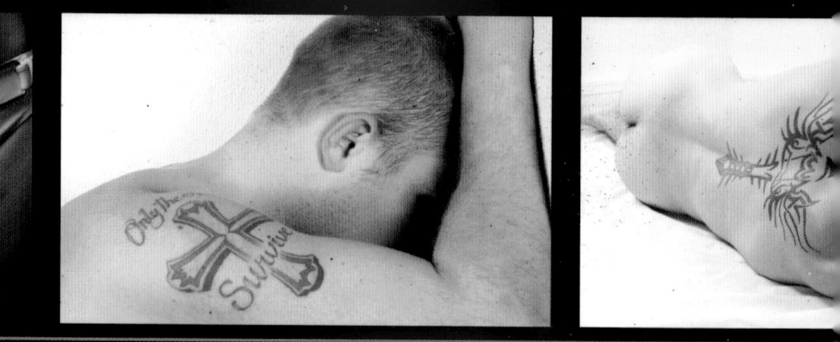

Cruces

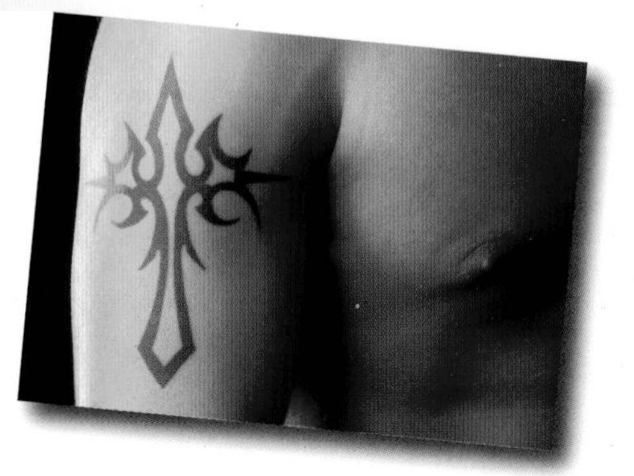

La cruz es por sí sola una inmensa fuente de simbolismo que merece un capítulo aparte. Como símbolo cristiano, los dos maderos que la componen adoptan una increíble diversidad de formas.

En esencia, es un símbolo que consta de un punto central que se expande hacia los cuatro puntos cardinales. El centro simboliza concentración de la diversidad universal y los cuatro brazos, la extensión del universo en las respectivas direcciones.

Tan antigua como el hombre, la cruz ha sido empleada como símbolo religioso y espiritual en casi todas las culturas, aunque en los dos últimos milenios ha adquirido una significación netamente cristiana. Como tatuaje, se marca en cualquier parte del cuerpo con líneas simples o con diseños tribales.

Esvástica

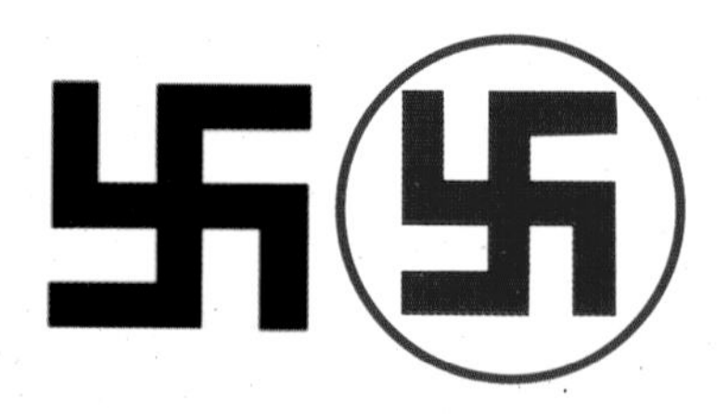

También denominada cruz gamada, porque del centro le salen brazos en forma de la letra gamma del alfabeto griego. Representa al universo en movimiento a partir de un punto poderoso y creador, y se ha usado durante milenios en muchas regiones del planeta.

Hay una cruz similar que gira al revés, de izquierda a derecha: se trata de la tristemente famosa esvástica utilizada por el Nacional Socialismo alemán en la Segunda Guerra Mundial.

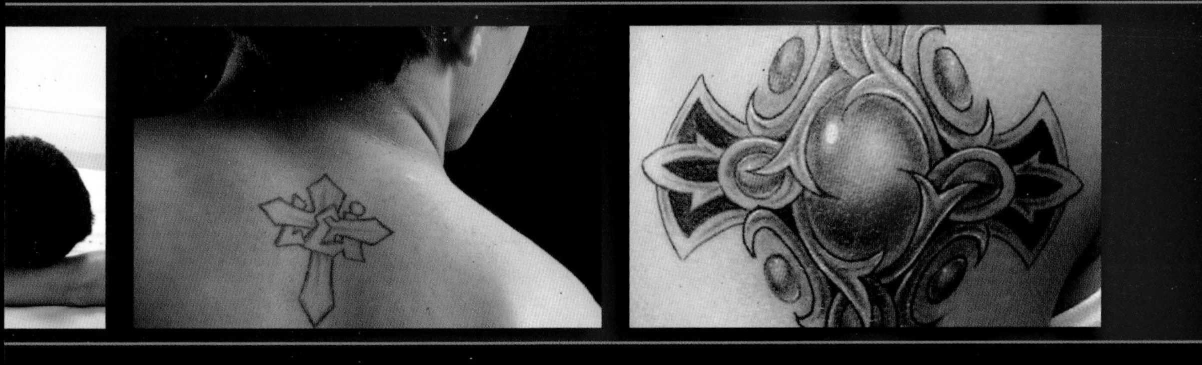

Cruz de la vida y cruz celta

El *ankh* es un símbolo egipcio que acompaña a las divinidades y simboliza la vida eterna. Su brazo superior tiene forma de asa, y el inferior es más largo que los otros.

La cruz celta nació en los pueblos celtas y representa los ciclos de la naturaleza. Su centro está rodeado por un círculo, que simboliza la eternidad, y su interior está dibujado con los típicos lazos del arte celta.

Cruces de la vida

Cruces celtas

Cruz del Sur

Es el dibujo extraído de la constelación *Crux Australis*, la cual solo se ve desde el hemisferio sur. Ha sido empleada como guía por los marineros y ha adquirido mucha tradición mitológica por parte de los habitantes de las tierras sureñas. Su forma es escalonada con un brazo vertical largo y otro horizontal más corto.

Cruz latina

Es la cruz cristiana que recuerda la crucifixión de Jesús. Es símbolo de resurrección pero, como se usa en todos los cementerios, monumentos y esquelas fúnebres, popularmente se la asocia con la muerte. La cruz latina invertida es aquella en la que murió san Pedro crucificado, pero también se emplea como símbolo del Anticristo.

Cruz del marinero y cruz de hierro

Es emblema de los navegantes, quienes se la tatúan a modo de protección contra los peligros del mar. Se trata de una cruz latina acompañada de un ancla, cuyo diseño forma parte del catálogo de los tatuajes retro. Al mismo tiempo, tiene otro significado: es símbolo de valentía y esperanza, debido a que San Clemente sufrió el martirio de ser arrojado al mar atado a un ancla.

La cruz de hierro es una medalla militar de brazos iguales y amplios que se daba a los líderes y a los más valientes. Se dejó de galardonar a los militares con ella tras la Segunda Guerra Mundial ya que, tras haber sido utilizada por el ejército nazi, se convirtió en un símbolo racista.

Otras religiones

Casi todas las religiones del mundo y sus dibujos más populares están presentes en los estudios de tatuaje, veámoslas una a una.

Budismo

En esta religión cabe destacar el personaje de Buda o Siddharta Gautama, el fundador del Budismo al que se suele representar en postura de meditación. Es símbolo de sabiduría e iluminación, de desapego a la materia y de gozo eterno. También dentro del Budismo hay símbolos como la Rueda de la Vida, una imagen cilíndrica que representa el *samsara* o el mundo de las perturbaciones mentales; o la Rueda del *Dharma*, que simboliza las enseñanzas de Buda, el *Dharma*, las cuales ayudan a alcanzar la iluminación o estado de budeidad para liberar del sufrimiento a todos los seres sintientes.

Hinduismo

En el Hinduismo existen varias doctrinas, por lo que la deidad puede adoptar diversas formas como, por ejemplo, Vishnú o Krishná entre otros muchos. En este credo se habla también de emanaciones divinas del ser supremo como Amanga, dios del amor, Apah, dios de la naturaleza y Bhumi, diosa de la tierra.

Por otra parte, debemos hablar de Kama Sutra: el dios del amor carnal, Kama, que es la inspiración del texto ritual Kama Sutra, donde se explican gráficamente diferentes posturas y técnicas para la cópula.

Islamismo y Judaísmo

La media luna creciente con una estrella es el símbolo más reconocido del Islam desde la Edad Media. Simboliza su paraíso y la resurrección.

El hexagrama generalmente se denomina Estrella de David o Sello de Salomón y representa la fe judía. Se trata de una estrella de seis puntas cruzada insertada en un círculo.

Además de la estrella de David, la Menorá o candelabro de nueve brazos, simboliza el Judaísmo.

Religiones mesoamericanas

Las civilizaciones precolombinas maya, inca y azteca cuentan con un largo listado de dioses. En la religión azteca, Ometeotl es el gran creador, y después hay otras divinidades como Huitzilopochtli, dios de la guerra y Chicomecoatl, diosa del maíz. Para los incas, al parecer Viracocha era su único dios, aunque se habla también de Pachacamac, el dios del mar.

La religión maya tiene un gran dios creador que algunas fuentes dicen que era Hunab Kú, otras Tepeu y Gucumaz. Deidades menores son, por ejemplo, Yum Chaac, dios de la lluvia y Kin, el dios Sol.

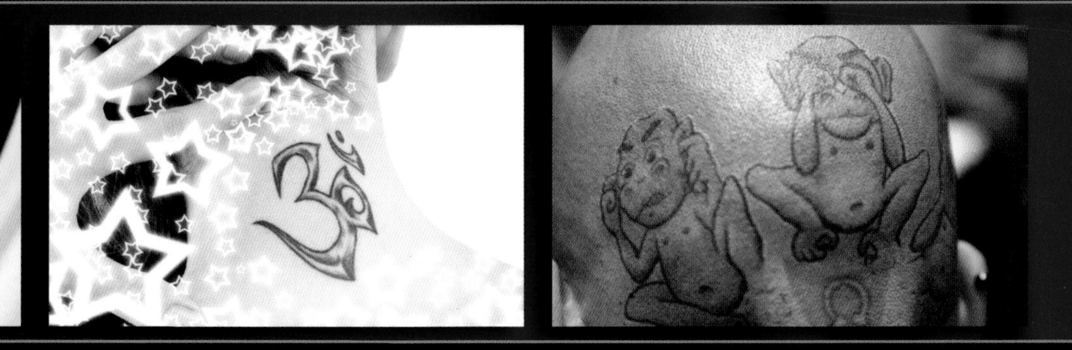

Simbología abstracta

De todas las imágenes que uno se puede tatuar, la más enigmática es la de un símbolo abstracto. Cualquier imagen puede aludir a otro objeto o idea, pero los más enigmáticos son los que a primera vista no significan nada reconocible. La capacidad de crear símbolos deriva del poder de abstracción del ser humano y cuanto mayor es el nivel de abstracción aplicado a un diseño, más difícil resulta su comprensión.

Desde que el hombre prehistórico comenzó a dibujar, observó que no solo podía representar escenas y objetos de la naturaleza, sino que también podía establecer imágenes nuevas, inexistentes en su medio, con las que representar algo para su comunidad y que resultaran crípticas para los extraños. Así, en muchas cavernas se han encontrado dibujos de manos en diferentes colores, cuyo significado todavía se desconoce.

Símbolos orientales

China e India son probablemente las culturas asiáticas más influyentes en Occidente. La filosofía budista o taoísta atraen a los occidentales por su espiritualidad, comunión con la naturaleza y pacifismo.

El Yin-Yang

Es el símbolo del Taoísmo chino que representa la idea del universo formado por principios opuestos dependientes. Se trata de un círculo con una mitad negra y otra blanca, que a su vez llevan insertado otro círculo opuesto en colorido (negro en la parte blanca y blanco en la parte negra). Expresa la dualidad de todo lo que existe y se relaciona también con la oposición y complementación de lo femenino con lo masculino.

Om

Es una sílaba hindú cuyo sonido es poderoso y por eso se utiliza en los mantras de meditación. Su imagen es símbolo de la unión de lo físico con lo espiritual y el acercamiento a lo supremo. Las tres curvas que representan esta sílaba escrita simbolizan los distintos estados del ser humano: la vigilia, el sueño y la conciencia suprema, y están entrelazados entre sí.

Símbolos marineros

Los navegantes fueron de los primeros hombres modernos que se tatuaron; al toparse con tribus indígenas que llevaban su piel dibujada, comenzaron a marcarse su propio cuerpo con sus símbolos favoritos.

Atendiendo a su carácter intrépido, a sus conocimientos de geografía y de fauna marina, con muchas aventuras a sus espaldas y un constante alejamiento de sus familias, cubrieron su piel de toda clase de símbolos de protección naval y de recordatorios de sus esposas.

Los marinos se tatuaban una golondrina por cada 5.000 millas navegadas, y como símbolo de su buena suerte al sobrevivir al mar en cada viaje.

Al principio fueron muy habituales los diseños de corazones con el nombre de la persona amada, las estrellas naúticas, las cruces del marinero o la roca de los tiempos. Luego surgieron toda clase de imágenes cristianas, las palabras *hold fast* («agárrate rápido») en los dedos de las manos, golondrinas y, sobre todo, anclas, muchas anclas.

En la actualidad estos diseños no son exclusivos de los marinos, sino que pueden pertenecer al catálogo de tatuajes retro, popular entre los amantes de los primeros tatuajes modernos.

Tatuajes retro

Los tatuajes modernos evolucionaron en América y a finales del siglo XIX, desde los puertos marinos, donde se produjo una ola expansiva con diseños propios de la época. Quienes solían adornar su cuerpo con ellos eran, principalmente, los militares y marineros, pero también civiles, habitualmente hombres. Por esta razón el tatuaje retro, también llamado *old school* («vieja escuela»), presenta dibujos relacionados con la vida militar.

Los más conocidos son los de rostros de soldados, animales (el águila, por ejemplo, como símbolo de Estados Unidos), estrellas, rosas, banderas, anclas, corazones, bailarinas, *pin-ups*, paisajes y bandas con palabras bordeando los dibujos. Su estilo está definido por un borde de color negro azulado y su relleno es de colores sólidos, con poco o ningún efecto de sombras o brillos. Esta característica simplista se debe a que la máquina de tatuar era demasiado reciente, no todos los profesionales la tenían y las variedades de estilo artístico que se podían permitir eran aún escasas.

Si bien todos aquellos diseños vuelven a estar de moda (sobre todo en la escena musical *rockabilly*) los más aclamados tanto por hombres como mujeres son los de modelos *pin-ups*. El término *pin-up* se acuñó en los años cuarenta para definir un tipo de fotografía o ilustración en la cual aparece una joven en actitud sugerente. En su momento llenaron de *glamour* las páginas de revistas, cómics y calendarios, posando con corsé o uniforme militar, zapatos de tacón y peinados de la época. Algunas de estas modelos (*pin-up girls*) eran actrices de Hollywood; otras eran *show-girls*, y la mayoría solo aparecieron alguna vez en revistas eróticas, calendarios o en el reverso de barajas de cartas. El simbolismo de los tatuajes de modelos de *glamour* retro varía según lo lleve una mujer o un hombre. Para las mujeres es una representación de su propia feminidad, mientras que en los hombres habla del tipo de mujer que les atrae.

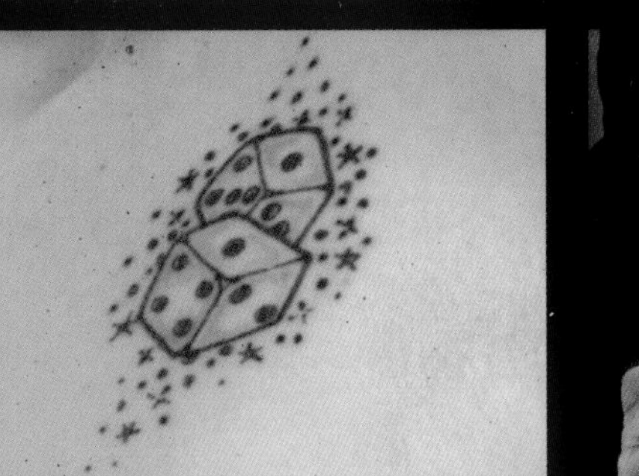

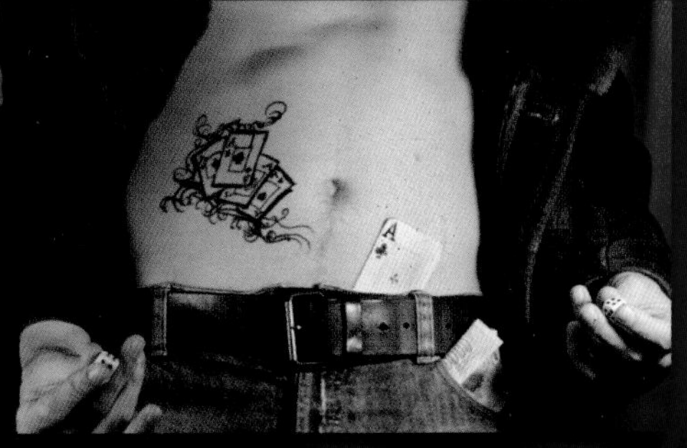

Suerte y azar

El ser humano tiene anhelos, sueños, metas, y aunque algunos piensan que para alcanzarlos solo existe la opción de trabajar, otros prefieren contar con el factor suerte. Para ellos el destino es un camino invisible que se pone delante de sus ojos dirigiendo las situaciones hacia finales felices o poco afortunados; un sendero que se ramifica en buena y mala suerte, pero que es posible dominar y comprender gracias a numerosos símbolos que sirven de amuleto.

En el mundo del tatuaje son más habituales los símbolos de la buena suerte que los del infortunio, aunque también se realizan tatuajes que expresan la mala suerte por la que se ha pasado o, en el caso de algunos escépticos, un auténtico desafío al destino.

El significado de los numerosos símbolos de buena suerte que se encuentran en todas las culturas en ocasiones es contradictorio; objetos que algunos pueblos consideran portadores de la buena fortuna son, para otros, presagio de malas situaciones.

Símbolos de la buena fortuna

Desde que existe en ser humano existe también la superstición y la creencia en talismanes o amuletos para atraer la suerte: el trébol de cuatro hojas, la herradura, algunos números…

El número siete y el pez koi

Popularmente es conocido como el número de Dios. Su repetición tres veces alude a la suerte en los juegos de azar. También se consigue el número siete con dos dados mostrando diferentes números que suman tal cantidad. El pez koi es una carpa china que da buena suerte.

El as de la baraja y la herradura

Como por su alto valor es el naipe más deseado en los juegos de cartas, constituye todo un símbolo de poder y suerte. En cuanto a la herradura, por su forma en «U» ha sido símbolo de la buena suerte. Con la abertura hacia arriba indica que se pueden recoger todo tipo de bendiciones y colocada hacia abajo, es señal de que expulsa y aleja todo lo malo; sobre todo si se cuelga en las puertas de los hogares.

El trébol de cuatro hojas

Es una planta que normalmente presenta tres hojas (se ha estimado que hay uno de cuatro por cada diez mil de tres). Según la tradición, la primera hoja es para la esperanza; la segunda, para la fe; la tercera para el amor y la cuarta para la suerte.

Símbolos de la mala fortuna

Del mismo modo que el ser humano confía a ciertos objetos la capacidad de atraer la buena fortuna, achaca a otros la de atraer la desgracia, desde romper un espejo a caminar bajo una escalera, el número trece o el gato negro. Aunque muchas personas exorcizan esa mala suerte precisamente tatuándose el objeto de la mala fortuna.

El número trece

Es la suma del doce y el uno, y como el doce representa la perfección y totalidad universal, se entiende al trece como ruptura o caos. El martes trece es el colmo de la mala suerte.

El gato negro y el cuervo

En el medievo, el gato se consideraba el animal favorito de las brujas y se creía que el demonio podía tomar su forma; por esto se ha convertido en una representación de las fuerzas del mal. Por otro lado, existen varias supersticiones que cuentan cómo la presencia de un cuervo o el simple sonido de su graznido anuncia la muerte.

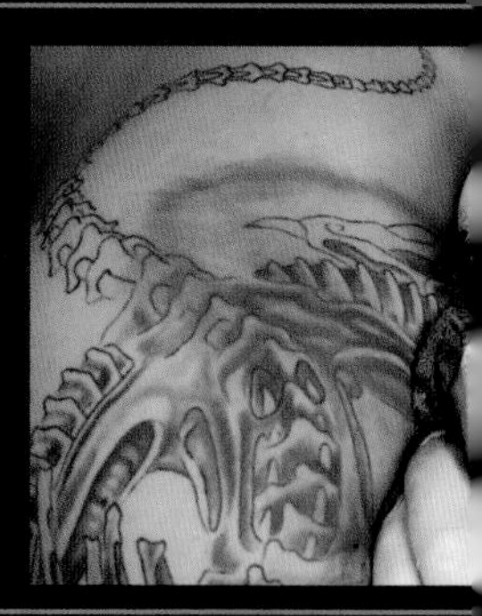

Heráldica

Proveniente de la palabra «heraldo», que era quien describía en los torneos medievales los símbolos de los escudos de los participantes, la heráldica es el arte de explicar los blasones u objetos que adornan los escudos. La tradición comenzó en la época en que los caballeros los empleaban para protegerse de ataques enemigos y la necesidad de adornarlos para diferenciarse en el campo de batalla. Con el tiempo, sirvieron para identificar linajes y países.

Entre los escudos abundan los leones, osos y caballos, todos en posición de combate. Los tatuajes de blasones abarcan en la actualidad desde los de escudos enteros hasta un único símbolo. Entre los primeros también están los de heráldica deportiva (los que representan equipos de fútbol.

TATUAJE DE MOTIVO HISTÓRICO

Las imágenes que han quedado grabadas en la memoria universal son momentos históricos importantes para la humanidad. Cruzadas medievales, inventos y descubrimientos, guerras, iconos políticos, personajes famosos, obras de arte, diseños prehistóricos y un largo etcétera de sucesos y objetos que han marcado la historia del mundo.

Si los diseños de tatuaje se limitaran a copiar los objetos culturales del presente, el catálogo de opciones sería muy breve; pero si se le añade todo lo vivido por el ser humano en épocas anteriores, no solo aumenta, sino que se enriquece con la belleza, la inspiración y las lecciones aprendidas en el pasado. Los temas más populares de tatuaje histórico son las escenas bélicas, presidentes y comandantes, arte grecorromano y barcos que hicieron historia.

Por otro lado, existen diseños que muestran la historia de una manera distinta; no se trata de la historia de la humanidad, sino de la del tatuaje como arte. Son los llamados tribales; es decir, los primeros que el hombre puso sobre su piel. Suelen estar formados por líneas, barras y figuras geométricas cuyo significado es de carácter espiritual o que otras veces hacen referencia a cualquier animal u objeto de manera más abstracta. Abarcan gran parte del cuerpo y su relleno es de color negro azulado.

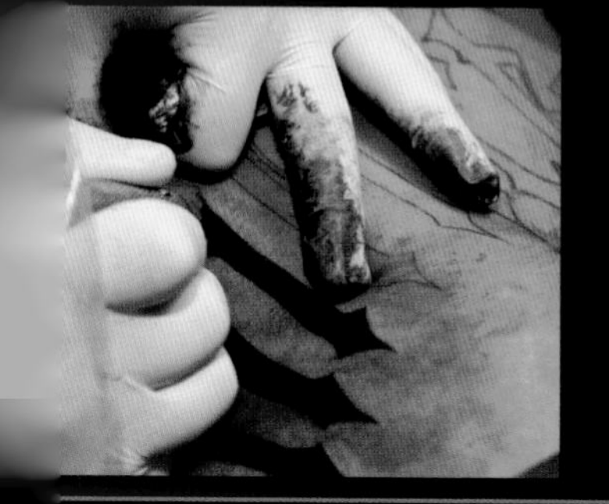

Escritura

生 协 行 谊

Las palabras escritas suelen tener mensajes más explícitos que las imágenes, pues no solo aluden a ideas como los símbolos, sino que nombran directamente objetos reales o abstractos. Además de su significado, las palabras contienen un significante, siendo este último la imagen del objeto que representan. Por ello, los textos escritos no solo expresan un concepto, sino que implican también un dibujo con su propia forma y estilo.

Letras y tipografías

En lo que concierne al tatuaje de letras, palabras y frases, hay varios factores distintos que atañen a cada una de estas formas.

- Tatuaje de letras: suele ser la inicial de un nombre, de ahí que la tipografía y la zona en el cual se ubique cobre la mayor importancia.
- Tatuaje de palabras: tiende a un nombre propio o común y abstracto ya que, para representar objetos concretos, suelen preferirse los dibujos.
- Tatuaje de frases y oraciones: pueden ser largas, como la letra de una canción, o cortas. Existen expresiones populares y frases hechas muy conocidas en los tatuajes, como «amor de madre», «amistad y respeto», «*punk is not dead*», etc.

Sin embargo, cuando uno decide tatuarse letras, no basta con pensar en el mensaje; una de las tareas más difíciles es escoger el tipo de letra, pues existen muchos estilos y se necesita dar con uno que con su forma acompañe lo que se quiere expresar y además, que sea compatible con la personalidad del tatuado. Para ello se puede utilizar el recurso de hacerlo en otros idiomas y que tengan una caligrafía llamativa.

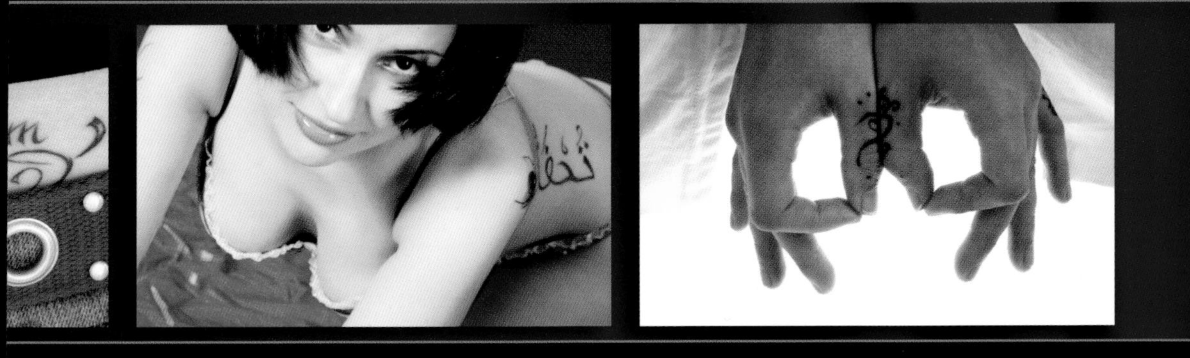

Hebreo

Es la lengua del pueblo judío, conservada básicamente para la escritura y lectura de libros sagrados. Tiene su origen en el pueblo semita del cual toma el nombre, del hoy llamado pueblo de Israel. En esta lengua se escribieron los libros que componen la Biblia, de ahí que este idioma haya ganado la particular atención de las personas creyentes. Los tatuajes en hebreo son más populares entre la gente religiosa y el tipo de mensajes que ofrecen suelen ser de carácter místico. Aun así, hay personas a las que le gustan los peculiares caracteres de la forma escrita de esta lengua y se tatúan nombres y frases que no tienen nada que ver con la religión ni con el idioma en sí.

אֱלֹהַי, נְשָׁמָה שֶׁנָּתַתָּ בִּי טְהוֹרָה. אַתָּה בְרָאתָהּ אַתָּה
יְצַרְתָּהּ, אַתָּה נְפַחְתָּהּ בִּי, וְאַתָּה מְשַׁמְּרָהּ בְּקִרְבִּי,

Persa

Es la lengua oficial de Irán, Tayikistán y Afganistán, y se habla además en las comunidades persas de otros países. El persa antiguo evolucionó hasta convertirse en el persa que se conoce hoy en día, el cual contiene otras variantes más de la lengua: el darí (persa oriental), el tayico (la lengua de Tayikistán) y el bujaro (la lengua de los judíos en Bujara). Se distinguen dos alfabetos en ella, el persa clásico, que es casi igual que el alfabeto árabe, y el que se usa en el idioma tayico, un alfabeto de carácter cirílico. Dada esta versatilidad, los tatuajes de letras persas pueden presentar dos estilos diferentes; uno más parecido al árabe y otro más emparentado con Oriente Medio.

أهلا و سهلا

Sánscrito

Es la lengua clásica de la India. En ella se transmitieron los primeros textos religiosos cuya tradición continúa en los contextos litúrgicos y yóguicos. En Oriente existe una larga tradición de tatuar textos sagrados en sánscrito, moda que está siendo introducida en Occidente. El símbolo más popular en los comienzos fue la sílaba del sonido «Om», que ya se ha visto antes por separado, pero hoy en día ya se cuenta con un variado catálogo.

॥ वयं संस्कृतं पठामः ॥

Latín

Es la lengua oficial del Vaticano, el centro del catolicismo y de los textos cristianos. Antiguamente era la lengua de la República Romana y, después, del Imperio, el cual extendió su uso a todas las zonas que conquistó. Con el paso del tiempo, esas zonas consolidaron sus propios dialectos del latín, como es el caso del romance, italiano, castellano, portugués, rumano, catalán y gallego. En su vocabulario, por lo general, conservan expresiones latinas: *mea culpa, carpe diem, plus ultra* e *in fraganti* son algunas de las más usuales.

Como pieza de tatuaje, las letras latinas son las más legibles para quienes utilizan el alfabeto occidental, ya que los caracteres son los mismos y además las expresiones latinas cuentan con la fuerza de una larga tradición histórica.

Carpe Diem

Japonés

Es la lengua oficial de Japón y, en menor medida, de Angaur. Se considera una lengua única; es decir, que no deriva de ninguna otra, aunque por contacto

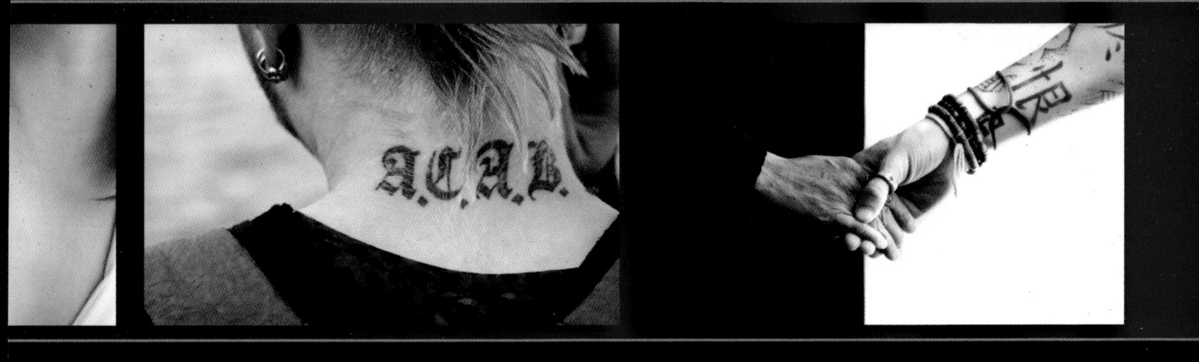

cultural han adoptado algunos vocablos chinos. Su origen se remonta al año 2500 a. C., cuando los mongoles llegaron a Japón y originaron la primera lengua japonesa, *yamato kotoba*.

En cuanto a la escritura, en Japón conviven tres sistemas clásicos: *kana*, que comprende el silabario; *hiragana,* para escribir palabras de origen japonés y el *katakana* para las que son de origen extranjero; el *kanji*, que son ideogramas de origen chino y el *römaji* que es una representación del japonés con caracteres romanos.

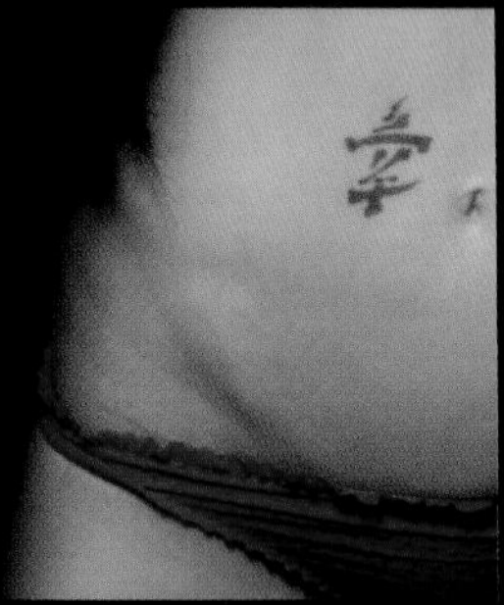

Los tatuajes en *kana* y *kanji* son muy populares en Occidente, ya que hay mucha gente que se siente fácilmente atraída por una cultura tan diferente y especial como la japonesa; sin embargo, existen algunas pautas que se deben de tener en cuenta a la hora de elegir las letras: para tatuarse un nombre propio se debe optar por la escritura *katakana* (ideada para formar palabras extranjeras); y si se quiere una palabra del vocabulario japonés se puede optar por la escritura *kanji* o *hiragana*. Es importante cerciorarse de que esté bien escrita, porque un cambio en el trazo puede dar lugar a una palabra o idea diferente.

Chino

Es la lengua oficial de China, Taiwán, Singapur e Indonesia. En este vasto país en el cual conviven muchos dialectos se originó un sistema de escritura partiendo del dibujo del objeto que se quería representar. Con el tiempo, los dibujos se fueron estilizando y sintetizando y hoy conforman los ideogramas (sinogramas en este caso) llamados *han*.

Dada la complejidad del trazo en China, se ha dado mucha importancia a la caligrafía, creándose tres estilos básicos: la caligrafía tradicional o escritura de sello grande, la normalizada o escritura de sello pequeño y la caligrafía *kăishū* o escritura regular, que es la que se utiliza en las imprentas actuales.

En los estudios de tatuaje suele haber un libro de muestras con caracteres chinos y sus significados en diferentes temas (amor, elementos naturales, nombres, etc.).

NÚMEROS

Desde el momento en que nacemos, los números pasan a formar parte de nuestra vida señalando una amplia variedad de cosas con las que nos sentimos identificados: la fecha de nacimiento, la edad, el número de hermanos, etc. y todos los años y días llevan un número consigo que, puede marcarnos profundamente. Con las fechas se asocian los acontecimientos más felices o los más dolorosos.

Los números fueron inventados por el hombre como herramienta para ordenar, calcular longitudes o volúmenes y con el paso de los tiempos se han cargado de un valor simbólico.

Aunque cada número tiene un significado según la cultura, podemos tatuarlo simplemente porque es nuestro número de la suerte, el cumpleaños, etc.

方佛夫福

Del cero al diez

Cada número tiene una serie de atribuciones, de las cuales las más importantes son:

El cero

Representa la nada, la ausencia de cualquier elemento y en matemáticas solo suma valor si está a la derecha de cualquier otro. Sin embargo, aunque a primera vista pueda parecer que es un número vacío, en realidad es el punto de partida del cual arrancan las fechas y la contabilidad.

El uno

Representa la unidad considerada como fuerza creadora de todo lo demás; Dios, el Sol y la Luna, por ejemplo, son entidades únicas.

El dos

Representa la dualidad y la primera manifestación de la creación. Alude a la compañía, a lo femenino como contraposición del uno, que se considera masculino. Es el origen de los contrarios y, por ello, de la duda.

El tres

Es el primer número que alude a la multitud, que rompe la relación dual. Sin embargo, también se le considera un número unificador, que reúne la unidad, el uno, con el principio dual, el dos. Compone la Trinidad, idea presente en distintas religiones, y también las divisiones del mundo: celestial, terrenal y subterráneo. La figura geométrica que lo representa es el triángulo.

El cuatro

Se atribuye a los fenómenos de la Tierra, ya que son cuatro las direcciones establecidas: Norte, Sur, Este y Oeste. Desde la antigüedad también han sido

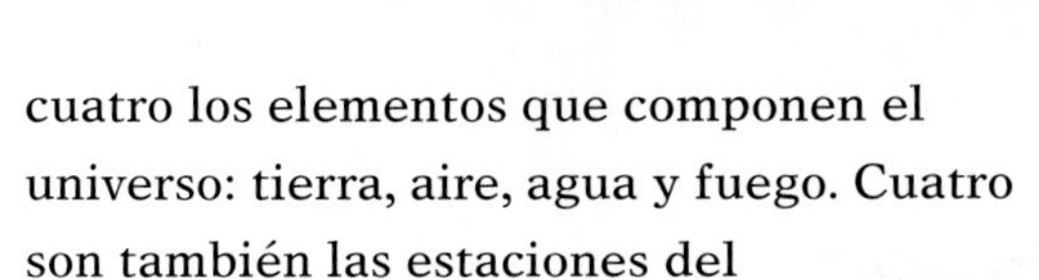

cuatro los elementos que componen el universo: tierra, aire, agua y fuego. Cuatro son también las estaciones del año. Este número está representado con las figuras del cuadrado y de la cruz.

El cinco

Se asocia a la idea de centro, pues se coloca en medio de cuatro puntos que le rodean; eso indica también poder. Además, existen en la naturaleza muchos elementos que se presentan bajo este número (dedos, pétalos, sentidos, etc.). Se representa con un pentagrama, que a su vez significa totalidad.

El seis

Representa la totalidad de las direcciones y, en matemáticas, es el primer número perfecto, pues sus divisores suman su mismo valor. Además, la idea de número completo se refleja en el libro cristiano de la Creación, el Génesis, que explica cómo Dios creó el mundo el seis días. Sin embargo, en la misma tradición cristiana se le considera un número imperfecto, pues le falta una unidad para alcanzar el número de Dios o la perfección.

El siete

Es el número divino por excelencia por lo que se le asocia a la idea de plenitud por ser la suma de cuatro más tres. Numerosos textos espirituales y filosóficos cuentan hasta siete las experiencias: siete cielos budistas e islámicos, siete sellos en el libro de las Revelaciones del apóstol Juan, siete chakras y siete principios de la doctrina hermética, por nombrar algunos.

El ocho

Representa ideas distintas en las culturas occidental y oriental; en los conceptos místicos de Oriente significa armonía y en Occidente resurrección. Su forma se ha asociado con dos serpientes unidas, lo que simboliza la unión de las fuerzas, y un ocho horizontal o acostado es el símbolo del infinito.

El nueve

Representa la perfección absoluta, dado a que suma tres veces tres. Es el número de la perfección y unificación en un plano más elevado porque su forma es un seis (número imperfecto) invertido.

El diez

Es la unidad del sistema decimal y en general se usa para adjudicar la máxima calidad de una cosa, ya que la escala más habitual es de cero a diez. También es un número al que se le ha atribuido el valor de totalidad en varios textos como, por ejemplo, en los Diez Mandamientos cristianos y el valor de la primera letra del nombre de Dios para los hebreos.

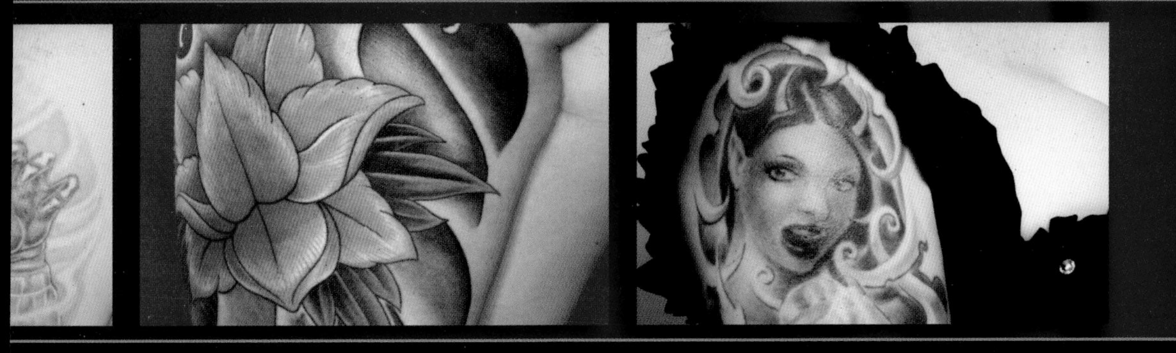

Grafías numéricas

En el catálogo de números para tatuaje se ven distintos estilos de tipografía, desde los números convencionales con diferentes trazos, a los símbolos romanos o de cualquier otra grafía diferente. El tamaño de la pieza no suele exceder los dos centímetros porque el diseño suele ser simple y no lo requiere.

El color que más se emplea es el negro, aunque un relleno de color puede añadir otro simbolismo a la pieza.

0 1 2 3 4 5 6 7 8 9

0 1 2 3 4 5 6 7 8 9

0 1 2 3 4 5 6 7 8 9

6 7 8 9

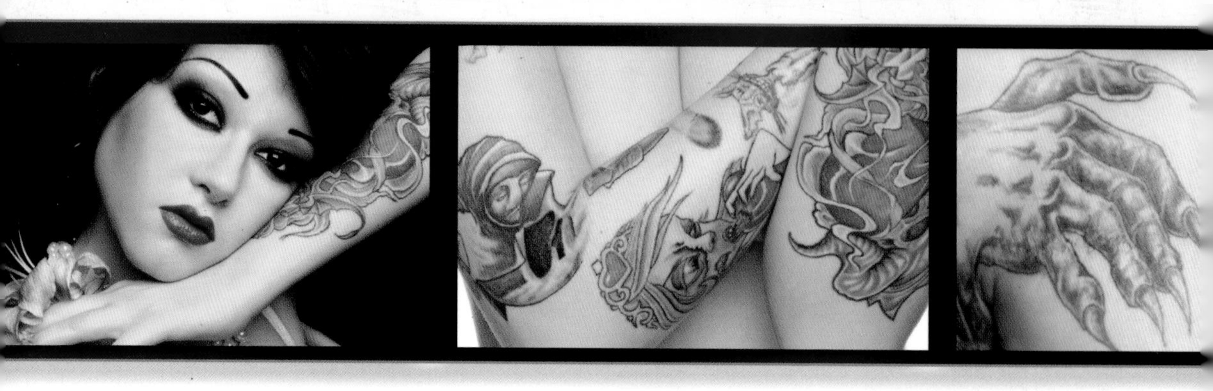

ÍNDICE